Español

A COMPREHENSIVE SPANISH COURSE

EXERCISES

10 Chapters
Notes on Grammar
Dictionary of Verbs
Anwers / Keys

To be used independently or in conjunction with the book:
Español, Español.- A COMPREHENSIVE SPANISH COURSE.- **GRAMMAR**
by **IE** Internacional del Español.

Español, Español.- A COMPREHENSIVE SPANISH COURSE.- **EXERCISES**
Second edition 2006

Copyright © IE Internacional del Español
 © Dra. Marcia García.
 © Jonathan Cassidy BA Hons.
 © Lcdo. José Aguirre.

ISBN 9978-42-697-3
Copyright register 016871

Diagrams: IE Internacional del Español
Cover design: Espín Ilustraciones
Text adaptation: IE Internacional del Español
Print: Editorial Artes Gráficas Q.

All enquiries should be addressed to:

IE Internacional del Español

Joaquín Pinto E4-358 y Amazonas
Tel: 2564 910 / 3 103 338   **Fax**: 2222 964 **P.O.Box** 17- 03 -543
www.diplomaie.com   -   info@diplomaie.com
Quito - Ecuador - South America

ABOUT THE BOOK

A COMPREHENSIVE SPANISH COURSE.- EXERCISES has been created in order to offer a system of solidifying grammactical aspects of the Spanish language using best practice and effective exersices in a sequenced and progressive manner.

This book has a selection exercitations and applications for each of the grammatical themes covered in **A COMPREHENSIVE SPANISH COURSE.- GRAMMAR** by IE Internacional del Español.

Our applied study system has a simple structure that is easy to follow. Its content and vocabulary may be used and understood in any Spanish speaking country.

This book of exersices enables the student to acquire a high level of proficiency in Spanish.

STRUCTURE OF THE BOOK

This book contains ten chapters of exercises with basic explanations of grammatical themes. The book aims to aid understanding of their practical application. Whilst it can be used as a study aid on its own, it mirrors the structure of the **GRAMMAR** book, and as such the books can be used alongside each other.

TABLE OF CONTENTS

TEN CHAPTERS

BASIC GRAMMAR

THE ALPHABET

EL ALFABETO

5 vowels:
a - e - i - o - u

25 consonants:
b - c - ch - d - f - g - h - j - k - l - ll - m - n - ñ - p - q - r - rr - s - t - v - w - x - y - z

1. Write a word for each letter of the alphabet.

| A a / a | B b / be | C c / ce | Ch ch / che | D d / de |
| avión | boca | cama | chino | dedo |

Ex. ....

| E e / e | F f / efe | G g / ge | H h / ache | I i / i |
| elefante | falda | guitarra | hoja | iglesia |

Ex. ....

| J j / jota | K k / ka | L l / ele | Ll ll / elle | M m / eme |
| tijeras | kilogramo | lámpara | llave | manzana |

Ex. ....

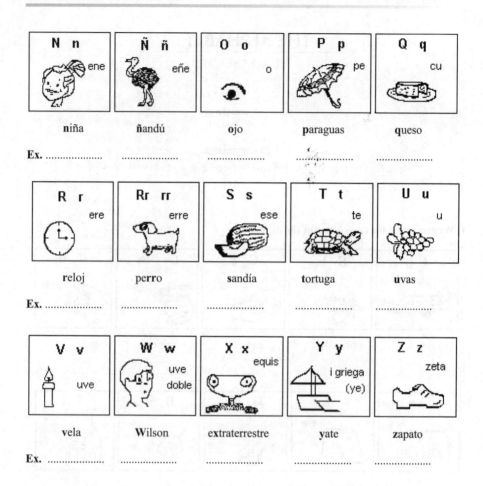

N n ene	Ñ ñ eñe	O o o	P p pe	Q q cu
niña	ñandú	ojo	paraguas	queso

Ex. ....

R r ere	Rr rr erre	S s ese	T t te	U u u
reloj	perro	sandía	tortuga	uvas

Ex. ....

V v uve	W w uve doble	X x equis	Y y i griega (ye)	Z z zeta
vela	Wilson	extraterrestre	yate	zapato

Ex. ....

2. IDENTIFY the images and fill in the blanks.

a. *helado*   b. ....   c. ....   d. ....

GENDER AND NUMBER

EL GENERO Y EL NUMERO

Diagram box

GENDER	NUMBER

masculine *(ending in -o)*

amig -o *friend* amig **-o** ➡ *singular*
 amig **-os** ➡ *plural*

feminine *(ending in -a)*

amig -a *friend* amig **-a** ➡ *singular*
 amig **-as** ➡ *plural*

masculine or feminine *(different endings)*

call -e *(f) street* call **-e** ➡ *singular*
call **-es** ➡ *plural*

pa -n *(m) bread* pa **-n** ➡ *singular*
 pan **-es** ➡ *plural*

flo -r *(f) flower* flor ➡ *singular*
 flor **-es** ➡ *plural*

paí -s *(m) country* país ➡ *singular*
 país **-es** ➡ *plural*

pare -d *(f) wall* pared ➡ *singular*
 pared **-es** ➡ *plural*

maí -z *(m) corn* maíz ➡ *singular*
 maíc **-es** ➡ *plural*

1. CHANGE the number of the following nouns.
Example: amigo *amigos*

a. gato .... e. tío ....

b. hermano .... f. oso ....

c. hijo .... g. niña ....

d. prima .... h. muñeca ....

2. WRITE DOWN the gender of the following nouns:
Example: flor *femenino*

a. iglesia .... e. amor ....

b. ruido .... f. pan ....

c. té .... g. canción ....

d. televisión .... h. alfombra ....

3. IDENTIFY the images and write down the gender and number of the objects.

a. *femeino / singular*   b. ....   c. ....

THE ARTICLE
EL ARTICULO

a) The Definite Article (English: *the*)

	masculine	feminine
singular ➡	el	la
plural ➡	los	las

b) The Indefinite Article (English: *a, an, some, a few*)

	masculine	feminine
singular ➡	un	una
plural ➡	unos	unas

1. WRITE down the definite article for each noun.
   Example: *el* auto

a. .... señora

b. .... perro

c. .... café

d. .... árbol

e. .... alumna

f. .... pan

g. .... niño

h. .... profesora

2. MARK the correct article for each noun with an X.

PALABRAS	ARTÍCULOS			
	la	el	unos	unas
a. chicas				
b. años				
c. casa				
d. auto				

3. MARK the correct article with an X.

Example: puerta   **X**   *la*   unos   unas   el

a. amigos   ☐ el   ☐ los   ☐ la   ☐ unas

b. mesa   ☐ las   ☐ el   ☐ una   ☐ unos

c. hermano   ☐ la   ☐ el   ☐ los   ☐ unas

d. mamá   ☐ el   ☐ los   ☐ las   ☐ la

THE NOUN
EL SUSTANTIVO

masculine	feminine	
• **auto** car	• **casa** house	➡ *singular*
• **autos** cars	• **casas** houses	➡ *plural*

THE GENDER AND NUMBER OF A NOUN

- el libro   *the book*   ➡ *masculine singular*
- los libros   *the books*   ➡ *masculine plural*

- la chica   *the girl*   ➡ *feminine singular*
- las chicas   *the girls*   ➡ *feminine plural*

1. CHOOSE the correct noun and fill in the blanks.

   Example: Las *plantas*
   a) autos   b) gente   *c) plantas*   d) árboles

a. El ....
   a) auto   b) montaña   c) luna   d) cascada

b. El ....
   a) silla   b) puente   c) paisajes   d) montaña

c. Las ....
   a) joyería   b) artesanías   c) decoración   d) fantasía

d. Unas ....
   a) flores   b) corazón   c) leones   d) árboles

2. DETERMINE the article and noun corresponding to each image.

gafas   bicicleta   *serpiente*   sartén   globos   regalo

a. *la serpiente*   b. ....   c. ....

The Noun

d. ....   e. ....   f. ....

3. GIVE a masculine or feminine, singular or plural noun for each indicated article.
   Example: la *ventana*

a. las   ....   e. un   ....

b. la   ....   f. una   ....

c. un   ....   g. las   ....

d. una   ....   h. unos   ....

THE ADJECTIVE

EL ADJETIVO

masculine	feminine	
• bonit**o**	• bonit**a**	*singular*
• bonit**os**	• bonit**as**	*plural*

THE GENDER AND NUMBER OF THE ADJECTIVE

• **alto**	tall	➡	singular masculine
• **altos**	tall	➡	plural masculine
• **fea**	ugly	➡	singular feminine
• **feas**	ugly	➡	plural feminine

1. FILL IN the blanks with the correct forms of the adjectives.
Example: la película *larga*   *(largo)*

a. el gato ....*tranquilo*............ (tranquilo)

b. las situaciones ...*difíciles*...... (difícil)

c. un padre ....*inteligente*...... (inteligente)

d. unas niñas ....*bonitas*........... (bonito)

e. el sistema ....*moderno*...... (moderno)

f. la habitación .....*sucia*............... (sucio)

2. FILL IN the blanks with adjectives.
Example: Una señora *bonita*   Una flor *amarilla*

a. El problema ...*larga*.......   Un papel ...*grande*....

b. Unos amigos ...*fuertes*.   Los padres ...*tranquilos*...

c. Unas chicas *aventuras*   Las modas ....

d. La ciudad ....   Una manzana ....

3. DETERMINE the adjective corresponding to each image.

| gordo | feliz | *grande* | delgado | triste | pequeño |

a. *grande*

b. pequeño

c. gordo

d. delgado

e. feliz

f. triste

THE BASIC PHRASE

LA FRASE

Article	+	Noun	+	Adjective
· el		libro		nuevo
· los		libros		nuevos
· la		casa		blanca
· las		casas		blancas

THE GENDER AND NUMBER IN THE PHRASE

feminine singular	*masculine singular*
la casa bonita	el libro nuevo

feminine plural	*masculine plural*
las casas bonitas	los libros nuevos

1. PUT words in the right order and structure the phrases correctly.
   Example: / lápiz / / un / / pequeño /   *Un lápiz pequeño*

a. / difíciles / / problemas / / los /   *los problemas difíciles*

b. / hora / / la / / exacta /   *la hora exacta*

c. / mujer / / una / / ejecutiva /   *una mujer ejecutiva*

d. / la / / formal / / invitación /   *la invitación formal*

2. FOLLOW the example:
   Example: *la* / *una*   trabajadora *experimentada*   *(experimentado)*

a. ......*la*...... / ......*una*......   secretaria   ......*eficiente*......   (eficiente)

b. ......*el*...... / ......*un*......   helado   ......*rico*......   (rico)

c. .... / ....   anteojos   ....   (grande)

d. .... / ....   manos   ....   (blanco)

3. CHANGE the phrases to the singular or the plural.
    Example: La niña bonita   ***Las niñas bonitas***

a. El papel limpio   ....

b. La ciudad grande   ....

c. Los hombres guapos   ....

d. Los bosques gigantes   ....

THE VERB TO BE
EL VERBO SER / ESTAR

THE VERB SER

SINGULAR		
1. yo	**soy**	*I am*
2. tú	**eres**	*you are (informal)*
3. él - ella - esto - usted	**es**	*he - she - it is - you are (formal)*

PLURAL		
1. nosotros (as)	**somos**	*we are*
2. vosotros (as)	**sois**	*you are (informal)*
3. ellos - ellas - estos - ustedes	**son**	*they - you are (formal)*

1. COMPLETE the sentences with the correct forms of the verb SER.
   Example: Pedro *es* alto

a. La gerente ....*es*................. amable.

b. Los alumnos ....*son*............ inteligentes.

c. ¿Quién ....*eres*............ tú?

d. Usted y yo ....*somos*........ buenos amigos.

e. El guante ....*es*................ de Susana.

f. Los chicos ....*son*............ católicos.

g. Yo ....*soy*............ tu madre.

h. Las tortugas ....*son*............ grandes.

2. CONJUGATE the verb SER in the following persons:

a. yo	b. él	c. vosotros	d. tú
soy	*es*	*sois*	*eres*

e. mi tía	f. tú y yo	g. mis hermanos	h. usted
es	*somos*	*son*	*es*

3. COMPLETE the following dialogue with the correct forms of Ser.

Anita: ¡Hola!

Jorge: ¿Quién ....*eres*............ tú?

Anita: Yo ....soy............. tu nueva compañera en la oficina.

Mi nombre ....es........... Anita, y ¿Cuál ....es................. tu nombre?

Jorge: Mi nombre ....es............... Jorge, ¡Mucho gusto!

Anita: ¡Encantada de conocerte!

Anita: Y ahora, ¡a trabajar!

THE VERB ESTAR

SINGULAR		
1. yo	**estoy**	*I am*
2. tú	**estás**	*you are (informal)*
3. él - ella - esto - usted	**está**	*he - she - it is - you are (formal)*
PLURAL		
1. nosotros (as)	**estamos**	*we are*
2. vosotros (as)	**estáis**	*you are (informal)*
3. ellos - ellas - estos - ustedes	**están**	*they - you are (formal)*

1. CONJUGATE the verb estar in the following persons:

a. yo   b. usted   c. vosotros   d. Pepe y tú

...estoy....   ....está....   ...estáis...   ....estáis....

e. nosotros   f. Sandra y él   g. su jefe   h. tú

..estamos..   ...están...   ...está...   ...estás...

2. JOIN corresponding words with lines.

a. *Ellos*   1. estoy

b. Él   2. estamos

c. Vosotros   3. *están*

d. Nosotros   4. está

e. Yo   5. estáis

3. OBSERVE the images and answer the following questions with the verb estar.

a. ¿Qué está tomando?   b. ¿Cómo están?   c. ¿Quién está hablando?

....

4. COMPLETE the following sentences with the right form of estar.
   Example: Yo *estoy* en la plaza.

a. ¿Quién   ....   aquí?

b. Mi abuela   ....   enferma.

c. Tú no .... hablando correctamente.

d. Ellos .... aburridos.

DIFFERENCES
BETWEEN SER AND ESTAR

Ser	Estar
Expresses permanent characteristics. Carlos es blanco. *Carlos is white.*	**Expresses temporary characteristics.** Carlos está moreno por el sol. *Carlos is tanned because of the sun.*
Indicates profession. Ellos son profesores. *They are teachers.*	**Indicates "occasional activity".** Ellos están de estudiantes. *Now they are being students.*
Location of "occasional" events. La conferencia es en el salón principal. *The conference is in the main room.*	**General location.** El salón principal está arriba *The main room is up stairs.*

1. CHOOSE between forms of ser and estar to complete the sentences.
   Example: Nosotros *estamos* en el restaurante.

a. Yo no ......estoy...... cansado ahora.

b. Vosotras ......sois...... personas responsables.

c. La farmacia ......*está*...... en el centro.

d. Yo ......*estoy*...... feliz, si tú estás aquí.

e. ¿De dónde ......*son*...... los franceses?

f. ¿Qué ......*es*...... esto?

g. Ellos ......*son*...... protestantes.

h. El panadero ......*está*...... hablando.

2. COMPLETE the text, using ser or estar appropriately.

Sabine y Kurt ......*están*...... en Colombia,

ellos ......*son*...... turistas alemanes y ahora ......*están*...... viajando

por el país. Kurt ......*es*...... sobrecargo en una aerolínea y Sabine ......*es*......

azafata en otra compañía aérea.

Actualmente, ellos ......*están*...... viviendo en la casa de una familia que ......*es*......

de Bogotá. La familia Agreda ......*está*...... muy contenta de recibir a

extranjeros porque piensan que ......*es*...... interesante conocer

otras culturas.

3. GIVE two examples of each use of SER or ESTAR.
   Example: / location /
   a) *Yo estoy en Granada*   b) *Granada está en España*

a. / profession /

a) ....Yo...soy...ingeniero......   b) .....Estoy...empresario......

b. / progressive form /

a) ....Está...estudiando......   b) .....Manuel está clavando un clavo

c. / marital status /

a) ...Soy......soltero.........   b) .¿Sois casados?

d. / humour /

a) ....Estan de buen humor......   b) ..Soy de mal humor......

4. COMPLETE the sentences, using ser or estar.
   Example: Yo *soy* abogado, pero *estoy* de cónsul aquí.

a. Esta iglesia ....es........... bastante antigua, pero .....está........... conservada.

b. Kristine ....es........... inglesa, pero ....está........... en México por el momento.

c. Nosotros .....somos....... divertidos, pero en este momento .....estamos.... tristes.

d. El restaurante .....es........... muy bueno, pero .....está........... cerrado.

e. Ella ....es........... mi amiga y ....está........... hablando con mi padre.

f. Yo ....soy........... delgada, pero .....estoy........... gorda.

g. Vosotros ......*sois*........... altos y ......*estáis*..... hablando español.

h. Los estudiantes ......*son*............ inteligentes y .....*estan*........... contentos.

5. WRITE down questions for each answer on the right. Use ser and estar.

a. Hola, soy Ana y ¿tú?

b. ¿*Que es tu profesion?*

c. ¿*Estas divertido?*

d. ....

e. ....

a. Hola, soy Carlos.

b. Yo soy arquitecto.

c. No, no estoy triste.

d. Estoy muy alegre.

e. Ahora estoy en la oficina.

THE SENTENCE

LA ORACIÓN

Sentences formed with Nouns			
Article +	**Noun +**	**Verb +**	**Adjective**
• El	libro	es	nuevo.
• Los	libros	son	nuevos.
• La	casa	es	nueva.
• Las	casas	son	nuevas.

TYPES OF SENTENCES

AFFIRMATIVE SENTENCES

1. Article + noun + verb + adjective
Los estudiantes **somos** muy divertidos.
We students are lots of fun.
2. Pronoun + verb + adjective
Nosotros **estamos** felices.
We are happy.

1. PUT words in the right order and form affirmative sentences.
   Example: / mesa / / de madera / / la / / es /   *La mesa es de madera.*

a. / en el cine / / vosotros / / estáis /   ....

b. / son / / blancos / / los / / sombreros /   ....

c. / manzanas / / las / / en el plato / / están /   ....

d. / pez / / de varios / / el / / es / / colores /   ....

2. COMPLETE the sentences below in affirmative form.
   Example: Ella no es doctora, pero tú sí *eres doctora.*

a. Nosotros no somos gordos, pero vosotros ......sí sois gordos......

b. Tú no estás cansado, pero yo ......sí estoy cansado......

c. Ellos no están aquí, pero nosotros ......sí estamos aquí......

d. Yo no soy alta, pero usted ......sí está alta......

3. REPLY affirmatively to the following questions.
  Example: ¿Ella es economista?
        Sí, ella es economista.

a. ¿Lima es la capital de Perú?

......*Sí, Lima es la capital de Perú*

b. ¿Ustedes están en la plaza?

......*Sí, yo soy en la plaza.*

c. ¿Todos son tus compañeros?

......*Sí, todos son mi compañeros.*

d. ¿Es temporada de invierno en tu país?

......*Sí, es temporada de invierno en mi país.*

NEGATIVE SENTENCES

1. Article + noun + NO + verb + adjective

Los mexicanos **no** son problemáticos.
Mexicans are not problematic.

2. Pronoun + NO + verb + adjective

Ellos **no** son puntuales.
They are not punctual.

1. FOLLOW the example:
  ¿La farmacia está cerca de aquí?
  No, la farmacia no está cerca de aquí.

a. ¿El mapa es de nuestro país?

....

b. ¿Los pantalones son de tela?

....

c. ¿La playa está al sur?

....

d. ¿El pintor es salvadoreño?

....

2. CHANGE the sentences from the affirmative into the negative form.
   Example: Tania está en la capital.   *Tania no está en la capital.*

a. Las calles están tranquilas.   ....

b. Vosotros sois traviesos.   ....

c. El teléfono está en la mesa.   ....

d. Tú estás enfermo.   ....

3. COMPLETE the following sentences or actions in negative form.
   Example: La chica es japonesa, pero yo *no soy japonesa.*

a. Nosotros estamos alegres, pero vosotros ....

b. Ellos están aquí, pero Irene ....

c. Mi amigo es protestante, pero tú ....

d. La enfermera es casada, pero nosotros ....

INTERROGATIVE SENTENCES

a)

Verb + subject + adjective
¿**Son** las secretarias eficientes? *Are the secretaries efficient?*

Affirmative reply: Sí.

Sí, las secretarias **son** eficientes.

Negative reply: No.

No, las secretarias **no son** eficientes.

b)

Subject + verb + adjective
¿Las secretarias **son** eficientes? *Are the secretaries efficient?*

Affirmative reply: Sí.

Sí, las secretarias **son** eficientes.

Negative reply: No.

No, las secretarias **no son** eficientes.

1. FORM questions from the affirmative sentences below. Follow the example.
   Example: La panadería es grande.   *¿Es grande la panadería?*

a. Varios europeos son protestantes.   _San europeos protestantes_

b. Usted está en el jardín..   ....

c. Tú eres amigo de Sofía.   ¿ _Son tu amigo de Sofía?_

d. Las flores son rosadas.   ....

2. FORM questions using the words in parentheses. Use the verbs SER or Estar.

    Example: (soltero)   *¿Enrique es soltero?*

a. (país)   ¿Este es su país?

b. (teléfono)

c. (Caracas)

d. (enferma)

3. FOLLOW the example:

    Example: Nosotros no estamos enfadados. *¿Nosotros estamos enfadados?*
                                           ¿Estamos nosotros enfadados?

a. Sí, ellos son de Noruega.

b. No, las rosas no están en el jarrón.

c. No, yo no estoy triste. Estoy preocupada.

d. Sí, los guantes son de piel.

DEMONSTRATIVE
ADJECTIVES AND PRONOUNS
ADJETIVOS Y PRONOMBRES DEMOSTRATIVOS

Diagram bóx

	Singular	Plural	Singular	Plural	Singular	Plural
• **Masculine**	este	estos	ese	esos	aquel	aquellos
	this	*these*	*that*	*those*	*that*	*those*
• **Feminine**	esta	estas	esa	esas	aquella	aquellas
	this	*these*	*that*	*those*	*that*	*those*
• **Neuter**	esto	eso	aquello			
	this	*that*	*that*			
Position of the object	closeby		far			very far

- **Esta** casa ⟶ **CLOSEBY**
- **Esa** casa ⟶ **FAR**
- **Aquella** casa ⟶ **VERY FAR**

1. CHOOSE from the demonstratives on the right and fill in the blanks.

a. ...Estas......... botas son viejas. (este)

b. ¿Qué es ....eso........ ? (estas)

c. ....Estos......... libros son interesantes. (eso)

d. En ....este........ momento estoy cansado. (estos)

2. COMPLETE the sentence, using the opposite demonstrative.

    Example: *Este* es mi paraguas, pero *ése* es el de María.

a. Esta cartera esta nueva, pero ......*aquella*.......... es muy vieja.

b. ......*Esta*.............. flor es natural, pero ésa es artificial.

c. Ese artículo es interesante, y .....*esta*................ es aburrido.

d. Esas alumnas son tan activas, pero ......*esas*............ son muy tranquilas.

POSSESSIVE PRONOUNS
PRONOMBRES POSESIVOS

A posessive pronoun is used in place of a noun, when the noun is omitted.

	MASCULINO		FEMENINO	
	Singular	**Plural**	**Singular**	**Plural**
yo	mío *mine*	míos *mine*	mía *mine*	mías *mine*
tú	tuyo *yours*	tuyos *yours*	tuya *yours*	tuyas *yours*
él / ella / usted	suyo *his/her's/ours*	suyos *his/her/yours*	suya *his/her/yours*	suyas *his/her/yours*
nosotros (as)	nuestro *ours*	nuestros *ours*	nuestra *ours*	nuestras *ours*
vosotros (as)	vuestro *yours*	vuestros *yours*	vuestra *yours*	vuestras *yours*
ellos / ellas/Uds.	suyo *their's/yours*	suyos *their's/yours*	suya *their's/yours*	suyas *their's/yours*

1. FOLLOW the example:

Example: El libro es de nosotros.
El libro es nuestro.

a. Las llaves son de ustedes

Las llaves son suyas

b. Estos vasos son (de mí)

Estos vasos son mío

c. Esa silla es (de tú)

Esa silla es tuya

d. Este auto es de vosotros.

Este auto es vuestro.

2. WRITE down the appropriate posessive. Follow the example.

Example: Yo estoy en mi auto y él está en *el suyo.* (de usted)

a. Esta es su mesa y aquella es la ...tuya... (de tú)

b. Nuestro lápiz es azul y el ...vuestro... es rojo. (de vosotros)

c. Su regalo es grande y el ...mío... es pequeño. (de yo)

d. Mi casa está aquí y la ...suya... está allá. (de ellos)

3. ANSWER the questions using posessive pronouns.

Example: ¿Este es tu libro de Español?   *(de Javier)*
                 No, no es el mío, es el de Javier

a. ¿ El equipaje es de nosotros ?   (de mi padre)

   No, no es nuestra. es el de mi padre.

b. ¿Las postales de Venecia son de Katherin?   (de Sandra)

   No. Ellos no son suyas, son de Sandra.

c. ¿Estos muebles son de tu madre?   (de mi hermena)

   ....

d. ¿Ésta es la ciudad natal de Bethoven?   (de Mozart)

   ....

THE PRESENT TENSE

THE PRESENT
EL PRESENTE

REGULAR VERBS

	habl -ar *to speak*	com -er *to eat*	viv -ir *to live*
yo	habl -**o**	com -**o**	viv -**o**
tú	habl -**as**	com -**es**	viv -**es**
él / ella / usted	habl -**a**	com -**e**	viv -**e**
nosotros(as)	habl -**amos**	com -**emos**	viv -**imos**
vosotros(as)	habl -**áis**	com -**éis**	viv -**ís**
ellos / ellas / ustedes	habl -**an**	com -**en**	viv -**en**

Commonly used regular verbs

-AR

- aceptar — *to accept*
- ahorrar — *to save*
- amar — *to love*
- ayudar — *to help*
- bailar — *to dance*
- buscar — *to look for*
- cambiar — *to change*
- caminar — *to walk*
- cocinar — *to cook*
- comprar — *to buy*
- descansar — *to rest*
- desear — *to wish / to desire*
- enseñar — *to teach*
- esperar — *to wait / to hope*
- extrañar — *to miss*
- fumar — *to smoke*
- ganar — *to win*
- gastar — *to spend*
- llamar — *to call*
- mandar — *to send*
- mirar — *to look*
- necesitar — *to need*
- pagar — *to pay*
- parar — *to stop*
- preguntar — *to ask*
- prestar — *to lend*
- quedar — *to stay*
- regresar — *to return / to come back*
- trabajar — *to work*
- tomar — *to drink / to take*
- usar — *to use*
- visitar — *to visit*

-ER

- beber — *to drink*
- correr — *to run*
- coser — *to sew*
- creer — *to believe*
- deber — *must*
- leer — *to read*
- prometer — *to promise*
- responder — *to answer*
- romper — *to break*
- vender — *to sell*

-IR

- abrir — *to open*
- aburrir — *to bore*
- compartir — *to share*
- discutir — *to discuss*
- escribir — *to write*
- existir — *to exist*
- partir — *to split*
- permitir — *to let*
- recibir — *to receive*
- subir — *to climb*
- unir — *to join*

1. CONJUGATE the following verbs in the Present:

	a. mirar	b. correr	c. abrir	d. caminar
Yo	miro	corro	abro	camino
Él	mira	corre	abre	camina
Nosotros (as)	miramos	corremos	abrimos	caminamos
Vosotros (as)	miráis	corréis	abrís	camináis

2. CONJUGATE the verb in Present, according to the subject of the sentence.
   Example: *(vender)*   Yo *vendo* globos. Ana *vende* flores. ¿Qué *vendes* tú?

a. (cantar)   Ellos ...... cantan ...... en la audición. María ...... canta ...... en la

ducha. ¿Dónde ...... cantáis ...... vosotros?

b. (viajar)   Nosotros ...... viajamos ...... en tren. Tú ...... viajas ...... en taxi. ¿En

qué ...... viaja ...... Rosalía?

c. (leer)   Yo ...... leo ...... historias románticas. ¿Qué ...... lees ...... tú?

Ellos ...... leen ...... revistas.

d. (escribir)   Vosotros ...... escribís ... cartas. ¿Qué ...... escribe ...... Juan? Yo

...... escribo ...... poemas.

3. IMAGINE the situation depicted below and write down the dialogue. Use verbs that are regular in the Present.

4. ANSWER the questions in the Present tense.

    Example: ¿Quién cambia las leyes?   *(los gobernantes)*
                    Los gobernantes *cambian* las leyes.

a. ¿Dónde bailan mejor el tango?   (Argentina)

En Argentina bailan mejor el tango

b. ¿Cuántos cigarrillos fumas cada día?   (veinte)

Fumo viente cigarrillos cada dia

c. ¿A qué hora parte el tren de aquí?   (al mediodía)

El tren parte al mediodía de aquí

d. ¿Con quién compartes tus secretos?   (mi mejor amiga)

5. CONJUGATE in the Present the verbs given in infinitive in the texts below.

a. Muchas personas (viajar) ...viajan... en busca de tierras desconocidas.

Los exploradores, los colonizadores, los viajeros y los audaces expedicionarios (compartir) ...comparten... peligrosas experiencias en la conquista de sitios desconocidos.

b. La gente latina (ser) ...es... generalmente amable, por eso, turistas de todo el mundo generalmente (visitar) ...visitan... estas regiones. Si una persona (preguntar) ...pregunta... por direcciones otra (ayudar) ...ayuda... inmediatamente a encontrarlas.

IRREGULAR VERBS

There are seven groups of irregular verbs, classified in the following way:

Irregular verbs

Group	Infinitive	Change	Conjugation	Translation
GROUP 1	pensar entender mentir	→ e to ie	→ pienso → entiendo → miento	*I think* *I understand* *I lie*
GROUP 2	pedir medir servir	→ e to i	→ pido → mido → sirvo	*I ask for* *I measure* *I serve*
GROUP 3	volar poder morir	→ o to ue	→ vuelo → puedo → muero	*I fly* *I can* *I die*
GROUP 4	venir tener decir		→ vengo → tengo → digo	*I come* *I have* *I say*
GROUP 5	conocer → coger → salir →	c to zc g to j + g	→ conozco → cojo → salgo	*I know* *I get* *I leave*
GROUP 6	distribuir →	+ y	→ distribuyo	*I distribute*
GROUP 7	ser ir oír		→ soy → voy → oigo	*I am* *I go* *I hear*

GROUP 1

-AR -ER -IR
e to ie

Diagram box

	pens -ar *to think*	entend -er *to understand*	prefer -ir *to prefer*
yo	piens -o	entiend -o	prefier -o
tú	piens -as	entiend -es	prefier -es
él / ella / usted	piens -a	entiend -e	prefier -e
nosotros (as)	pens -amos	entend -emos	prefer -imos
vosotros (as)	pens -áis	entend -éis	prefer -ís
ellos / ellas / ustedes	piens -an	entiend -en	prefier -en

Verbs in this group

· advertir	· defender	· perder
· atender	· despertar	· querer
· atravesar	· divertir	· recomendar
· calentar	· empezar	· sembrar
· cerrar	· encender	· sentir
· comenzar	· extender	· sugerir
· consentir	· gobernar	· tropezar
· convertir	· merendar	

1. CONJUGATE the verbs in parentheses in the Present and complete the sentences.
   Example: La línea Equinoccial *atraviesa* todo el hemisferio.   *(atravesar)*

a. Las mujeres actualmente ....*piensan*...... en la liberación femenina.   (pensar)

b. Los ancianos nunca .....*pierdan*........ las esperanzas.   (perder)

c. El partido de fútbol .... *comienza* al medio día.   (comenzar)

d. ¿Qué restaurante usted ... *recomienda* .. para comer esta tarde?   (recomendar)

2. CHOOSE the most appropriate verb, conjugate it in the Present and complete the sentence.

    Example: Algunos estudiantes *entienden* el italiano.
                  a) pensar   **b) entender**   c) querer   d) comenzar

a. Los diseñadores .... *sugieren* ..... cambios en sus diseños. ^design^
    a) sugerir   b) perder   c) empezar   d) atender

b. Los campesinos .... *siembran* .... semillas de zanahoria.
    a) cerrar   b) sentir   c) sembrar   d) calentar

c. El sol .... *calienta* ...... en los meses de verano.
    a) atender   b) cerrar   c) querer   d) calentar

d. Las madres .... *despiertan* .. a los niños cada día en las mañanas.
    a) empezar   b) pensar   c) despertar   d) atravesar

3. IMAGINE the situation depicted below and write down the dialogue, using irregular verbs of group 1 in the Present.

GROUP 2

-IR
e to **i**

Diagram box

	repet -ir	ped -ir
	to repeat	*to ask for*
yo	repit -o	pid -o
tú	repit -es	pid -es
él / ella / usted	repit -e	pid -e
nosotros (as	repet -imos	ped -imos
vosotros (as)	repet -ís	ped -ís
ellos / ellas / ustedes	repit -en	pid -en

Verbs in this group	
· competir	· freír
· conseguir	· impedir
· corregir	· reír
· despedir	· seguir
· desvestir	· sonreír
· elegir	· vestir

1. CONJUGATE the following verbs in the Present:

	a. reír	b. servir	c. desvestir	d. repetir
Yo	río	sirvo	desvisto	repito
Tú	rís	sirves	desvistes	repites
Él	ríe	sirve	desviste	repite

2. CHOOSE the right verb from the list and complete the sentence in the Present.
   Example: Los atletas *repiten* los ejercicios.

corregir   freír   conseguir   ***repetir***   competir

a. ¿Quién ~~consigue~~ el éxito en su vida?

b. Los padres ~~corrigen~~ los grandes errores de los hijos.

c. Nosotros ~~freímos~~ el pescado con aceite de oliva.

d. Estos jugadores de ajedrez ~~compiten~~ por el título mundial.

chess

3. ANSWER the questions using full sentences.
   Example: ¿En dónde sirven el sake?   *(el restaurante japonés)*
   El sake sirven en el restaurante japonés.

a. ¿Por qué elige productos biodegradables?   (no contaminan)

~~Productos biodegradables elijo porqué no contaminan~~
~~elijo productos biodegradables porque no contaminan~~

b. ¿Cómo visten las mujeres españolas?   (elegantemente)

~~Las mujeres españolas visten elegantemente.~~

c. ¿Quién mide las calles?   (los topógrafos)

~~Los topógrafos miden las calles.~~

d. ¿Dónde consigo los boletos para la ópera?   (la oficina principal)

~~consigues los boletos para la ópera en la oficina principal.~~

GROUP 3

-AR -ER -IR
o to **ue**

Diagram box

	vol -ar *to fly*	**volv -er** *to return*	**mor -ir** *to die*
yo	v**ue**l -o	v**ue**lv -o	m**ue**r -o
tú	v**ue**l -as	v**ue**lv -es	m**ue**r -es
él / ella / usted	v**ue**l -a	v**ue**lv -e	m**ue**r -e
nosotros (as)	vol -amos	volv -emos	mor -imos
vosotros (as)	vol -áis	volv -éis	mor -ís
ellos / ellas / ustedes	v**ue**l -an	v**ue**lv -en	m**ue**r -en

Verbs in this group		
· acostar	· dormir	· morder *to bite*
· acordar	· encontrar	· recordar
· almorzar	· *jugar (u - ue)	· rogar *to ask, beg.*
· colgar *to hang (up).*	· aprobar *to approve of, to pass.*	· soler *to be accustomed to*
· contar	· mostrar	· sonar
· costar	· mover	· soñar
· demostrar	· oler (o - hue)	· tronar *to shoot, thunder*

1. CONJUGATE the verbs in parentheses in the Present.

    Example: Yo no ***pruebo*** todavía la parrillada argentina ¿y tú?   ***(probar)***

a. Tu amiga ......*cuelga*...... la pintura de Picasso en la pared.   (colgar)

b. Cuando llueve en invierno, ...*truena*...... fuertemente.   (tronar)

c. Los científicos ...<u>demuestran</u>.. su teoría sobre el SIDA.　　　　　(demostrar)

d. Los esquimales ....<u>suelen</u>...... vivir en los iglús.　　　　　(soler)

2. CHOOSE the most appropriate verb, conjugate it in the Present, and complete the sentence.
　　Example:　La abuela *cuenta* historias antiguas.
　　　　　　　a) acostar　　　b) soñar　　　c) mover　　　***d) contar***

fellrs.

a. Varias organizaciones ...<u>acuerdan</u>........ evitar la tala masiva de bosques.　　avoid
　　a) acostar　　　b) acordar　　　c) apostar　　　d) almorzar
　　to put to bed.　　agree　　　　to bet
　　　　　　　　　resolve
b. La basura industrial .....<u>puede</u>........ causar millones de muertes.
　　a) poder　　　b) contar　　　c) sonar　　　d) oler

c. Silvia no ....<u>juega</u>......... ajedrez hoy con nosotros.
　　a) acostar　　　b) poder　　　c) mover　　　d) jugar

d. El domingo .....<u>suenan</u>....... las campanas de la iglesia.
　　a) contar　　　b) morir　　　c) sonar　　　d) acostar

3. UNDERLINE the correct form of the verb in the Present.
　　Example:　Los comerciantes (***devuelven*** - devuelves) la mercadería.

a. Las hormigas (encuentran - <u>encontramos</u>) bastante comida.

b. Muchos niños (muera - <u>mueren</u>) cada día.

c. Yo no (<u>recuerdo</u> - recuerdas) los malos momentos.

d. Los perfumes franceses (oléis- <u>huelen</u>) mejor que otros.

4. PUT words in the right order and form sentences correctly.

    Example: / almorzar / vosotros / en familia /
                       Vosotros almorzáis en familia.

a. / los países nórdicos / una economía estable / contar con /

to rely on

Los países nórdicos cuentan con una economía estable

b. / una gran arquitectura / mostrar / estos edificios /

Estos edificios muestran un gran arquitectura.

c. / en el ropero / colgar / tú / los vestidos /

Tu cuelgas los vestidos en el ropero.

d. / Stefi Graff / profesionalmente / jugar / al tenis /

Stefi Graff juega al tenis profesionalmente.

GROUP 4

venir	to come	➡	yo **vengo**	I come
tener	to have	➡	yo **tengo**	I have
decir	to say	➡	yo **digo**	I say

Diagram box

	ven -ir	ten -er	dec -ir
	to come	*to have*	*to say*
yo	ven**g** -o	ten**g** -o	di**g** -o
tú	v**ie**n -es	t**ie**n -es	d**i**c -es
él / ella / usted	v**ie**n -e	t**ie**n -e	d**i**c -e
nosotros (as)	*ven -imos	ten -emos	dec -imos
vosotros (as)	*ven -ís	ten -éis	dec -ís
ellos / ellas / ustedes	v**ie**n -en	t**ie**n -en	d**i**c -en

Verbs in this group
The verbs: tener, venir, decir and compounds

• bendecir	• intervenir *to control supervise, take part*	• prevenir
• contener *contain hold back*	• maldecir *curse*	• retener *withhold.*
• contradecir	• mantener	• sostener
• convenir *to agree, suit.*	• obtener	
• entretener *entertain*	• predecir	

1. PUT words in the right order and form sentences.

Example: / predecir / los vulcanólogos / la erupción /
Los vulcanólogos predicen la erupción.

a. / El gobierno / los monumentos / mantener / en buen estado /

....

b. / África / tener / habitantes / ¿cuántos? /

....

c. / otras estrategias / usar / no / convenir /

....

d. / a los niños / entretener / el payaso /

....

2. CONJUGATE the verb in the Present according to the subject of the sentence.
   Example: *(bendecir)* Los padres *bendicen*. El cura *bendice*. ¿A quién *bendices* tú?

a. (decir)   Vosotros ......*decís*......... mentiras. Ellos ......*dicen*......... la ver

dad. ¿Qué ....*digo*........ yo?

b. (venir)   Ella ....*viene*........ temprano. Nosotros ......*venimos*..... tarde.

¿Cuándo .....*viene*........... usted?

c. (contener)   La botella .....*contiene*..... agua. ¿Qué .....*contienen*.. estas

tazas? El vaso ....*contiene*..... cerveza.

d. (tener)   Las madres .....*tienen*......... hijos. Los políticos .....*tienen*.........

dinero. ¿Qué ....*tenéis*......... vosotros?

3. ANSWER the following questions with full sentences.
   Example: ¿Alguien tiene un encendedor?   *(Pepita)*
                  Pepita tiene un encendedor.

a. ¿Conviene cambiar de empleados?   (no)

....No. No conviene cambiar de empleados....

b. ¿La televisión entretiene a la gente? (a veces)

A veces la televisión entretiene a la gente

c. ¿Qué contiene este paquete? (galletas)

Este paquete contiene las galletas.

d. ¿Quiénes maldicen a los ladrones? (las víctimas)

Las víctimas maldicen a los ladrones.

4. CONJUGATE the verbs given in parentheses in the Present.
   Example: El fax *contiene* buenas noticias.   *(contener)*

a. Los médicos ...previenen... la infección con vacunas.   (prevenir)

b. El dólar .....tiene.......... una gran importancia internacional.   (tener)

c. Vosotros ...contradecís. las órdenes de vuestro jefe.   (contradecir)

d. El vino se ...obtiene......... de las uvas.   (obtener)

GROUP 5

saber	to know	➡	yo sé	I know
hacer	to do/make	➡	yo hago	I do/make
dar	to give	➡	yo doy	I give

Diagram box

	sab -er *to know*	**hac -er** *to do/make*	**d -ar** *to give*
yo	**sé**	**hago**	**doy**
tú	sab -es	hac -es	d -as
él / ella / usted	sab -e	hac -e	d -a
nosotros (as)	sab -emos	hac -emos	d -amos
vosotros (as)	sab -éis	hac -éis	d -ais
ellos / ellas / ustedes	sab -en	hac -en	d -an

1. CONJUGATE the following irregular verbs in the Present:

	a. caber	b. dar	c. hacer	d. poner
Yo	quepo	doy	hago	pongo
Él	cabe	da	hace	pone
Nosotros (as)	cabemos	damos	hacemos	ponemos
Vosotros (as)	cabéis	dais	hacéis	ponéis

2. ANSWER the questions using full sentences.
    Example: ¿Dónde crece el maíz?   *(campos fértiles)*
                El maíz crece en campos fértiles

a. ¿Qué desconoces de este país?   (las tradiciones)

    Las tradiciones desconozco de este país.

b. ¿Caben bastantes personas en ese tren?   (sí)

    Sí, bastantes personas caben en ese tren

c. ¿Cuándo finges?   (cuando es necesario)

.....Finjo.....cuando.....es.....nucesario.....

d. ¿Qué protege el medio ambiente?   (la naturaleza)

.....la.....natrualeza.....protege.....el.....medio.....ambiente.

3. DETERMINE the correct form of the verb, according to the subject of the sentence.
   Example: (traducir)   La secretaria *traduce*. Él *traduce* el documento.
                              ¿Quién *traduce* todo?

a. (dar)   Yo ....doy............ dinero. Ellas ....dan.............. comida. ¿Qué

                     ....dais............ vosotros?

b. (deducir)   Usted .....deduce.:...... los hechos. Nosotros .... la

                     verdad. ¿Qué .... él ?

c. (coger)   Ana .... el diccionario. Tú .... la

                     revista. ¿Qué .... yo?

d. (crecer)   Las plantas .... El niño .... Las flores ....

4. CHOOSE the right verb, conjugate it in the Present and complete the sentence.
   Example: Cada día yo *hago* el desayuno.
                  a) saber   *b) hacer*   c) caer   d) poner

a. El empresario .... nuevas alternativas.
   a) proponer   b) hacer   c) suponer   d) estar

b. La aromaterapia .... buena salud.
    a) traer   b) ver   c) caber   d) coger

c. La gente .... la historia del pueblo.
    a) traer   b) decaer   c) conocer   d) caer

d. El perro .... a su amo.
    a) dar   b) saber   c) caer   d) proteger

GROUP 6

Diagram box

	hu -ir *to flee*	**inclu -ir** *to include*	**constru -ir** *to construct*
yo	huy -o	incluy -o	construy -o
tú	huy -es	incluy -es	construy -es
él / ella / usted	huy -e	incluy -e	construy -e
nosotros (as)	hu -imos	inclu -imos	constru -imos
vosotros (as)	hu -ís	inclu -ís	constru -ís
ellos / ellas / ustedes	huy -en	incluy -en	construy -en

Verbs in this group		
• atribuir • concluir • contribuir	• constituir • destituir • destruir	• influir • instruir

1. **CHOOSE the most appropriate verb, conjugate it in the Present and complete the sentence.**

   Example: La orden *incluye* postre en el menú.

   a) concluir   b) distribuir   *c) incluir*   d) huir

   a. Las temperaturas suaves .....contribuye.. a la existencia de bosques.

   a) contribuir   b) destruir   c) construir   d) influir

   b. La suciedad ....destruye....... el medio ambiente.

   a) incluir   b) destruir   c) atribuir   d) construir

   c. Los chilenos .....distribuyen. a otros países el mejor vino.

   a) concluir   b) atribuir   c) influir   d) distribuir

   d. Las gallinas ....huyen........ rápidamente de los zorros.

   a) huir   b) destruir   c) incluir   d) construir

2. **CONJUGATE the verbs in parentheses in the Present tense.**

   Example: La música *influye* en el ánimo personal.   *(influir)*

   a. Varias organizaciones ....contribuyen.con trabajo voluntario.   (contribuir)

   b. La democracia ....constituye.... lo más importante en una nación.   (constituir)

   c. Los ladrones ......huyen....... por vías subterráneas.   (huir)

   d. El proyecto ....concluye.. el próximo año.   (concluir)

3. ANSWER the questions using full sentences.

Example: ¿A dónde huyen los políticos corruptos?   *(otros países)*
                 Los políticos huyen a otros países.

a. ¿Los niños constituyen el futuro del mundo?   (Sí)

....

b. ¿Quién distribuye el mejor banano?   (Ecuador)

....

c. ¿A qué hora concluye la reunión?   (a las once)

....

d. ¿Quién destituye al presidente?   (el ejército)

....

GROUP 7

(These irregular verbs do not belong to any particular family of conjugation)

Diagram box				
	oír *to hear*	**ir** *to go*	**ser** *to be*	**haber** *to have*
yo	oigo	voy	soy	he
tú	oyes	vas	eres	has
él / ella / usted	oye	va	es	ha
nosotros (as)	oímos	vamos	somos	hemos
vosotros (as)	oís	vais	sois	habéis
ellos / ellas / ustedes	oyen	van	son	han

1. FINISH the sentences in the negative form.
   Example: Tú oyes los consejos, pero él no *oye.*

a. Nosotros somos alegres, pero tú... no eres ....

b. Ella ve televisión, pero yo.... no .... veo ....

c. Vosotros vais al estadio, pero él.... no ...... va ....

d. Nosotros oímos el noticiero, pero vosotros... no .... oís ....

2. CONJUGATE the verb in Present, according to the subject of the sentence.
   Example: *(oír)*   Yo *oigo* noticias. Juan *oye* múica. ¿Qué *oigo* yo?

a. (ir)

Ellos ...... van .... a Egipto. María .... va .... al sur. Tú

.... vas .... allá.

b. (oír)

Nosotros .... oímos ...... bien. Ella ...... oye .... poco. ¿Qué

.... oyes .... tú?

c. (ser)

Yo .... soy .... alto. ¿Cómo .... sois .... vosotros? Ellas

.... son .... bajas.

INTERROGATIVE WORDS

PALABRAS DE PREGUNTA

Diagram box

¿Qué?	*What?*
¿Quién - es?	*Who?*
¿Dónde?	*Where?*
¿Cuál - es?	*Which?*
¿Cuánto -a-os-as?	*How much / how many?*
¿Cuándo?	*When?*
¿Cómo?	*How?*

1. ANSWER the following questions.

   Example: ¿Cuándo puedes salir conmigo?
   Puedo salir contigo el día viernes.

a. ¿De qué material son tus botas?

   ....

b. ¿De quién es esta blusa?

   ....

c. ¿A dónde viajan este año?

   ....

d. ¿Cómo es tu casa?

   ....

2. FILL IN the crossword with interrogative words:

Horizontal:

2. ¿...no dices la verdad?
4. ¿... es ese chico que viene?
6. ¿... años tiene tu madre?
7. ¿... haces cada día?
8. ¿... se llama tu nuevo vecino?

Vertical:

1. ¿...están los zapatos?
3. ¿...van a visitarnos?
5. ¿...es esto?
6. ¿...de estas revistas prefieres?

BASIC GRAMMATICAL STRUCTURES
ESTRUCTURAS GRAMATICALES BÁSICAS

STRUCTURE 1	**Verb + infinitive** ➡ **wish / necessity**
	Example: Las sociedades **quieren progresar** más cada día.
	Societies want to progress more every day.
STRUCTURE 2	**Tener que + infinitive** ➡ **obligation**
	Example: **Tenemos que conservar** nuestras costumbres.
	We have to conserve our customs
STRUCTURE 3	**Ir a + infinitive** ➡ **immediate future**
	Example: Los ciudadanos también **van a llegar** a la luna.
	The public will also arrive on the moon.
STRUCTURE 4	**Estar + gerund** ➡ **progressive form**
	Example: La tala de bosques **está acabando** con el planeta.
	The stripping of forests is finishing off the planet.
STRUCTURE 5	**Ser + adjective + infinitive** ➡ **impersonal sentences**
	Example: **Es necesario evitar** la contaminación.
	It is essential to avoid pollution.

1. **COMPLETE the sentences. Use a structure verb + infinitive.**
   Example: Yo quiero salir, pero tú *quieres estar en casa.*

a. Nosotros esperamos dormir, pero vosotros ....

b. Tú deseas cantar, pero él no ....

c. Rita debe trabajar, pero nosotros ....

d. Su amiga piensa viajar, pero usted ....

2. ANSWER the questions using the structure verb + infinitive.

    Example: ¿Suele usted nadar o caminar?   *(nadar)*
                  Yo suelo nadar cada día.

a. ¿Podéis vosotros cantar canciones en otro idioma?   (No)

....

b. ¿Quién piensa cambiarse el color de cabello?   (Elena)

....

c. ¿Prefieren leer libros de ficción o suspenso?   (ficción)

....

d. ¿Dónde puedo ver ruinas de los incas?   (Perú)

....

3. CHOOSE the right verb and complete the sentence.

creer / preferir

a. Las abejas .... volar sobre las flores grandes.

soler / pensar

b. La gente latina .... ser de piel canela.

necesitar / creer

c. Yo .... tomar una medicina.

pensar / poder

d. Vosotros no .... pisar el césped, es prohibido.

4. FILL IN the blanks with correct forms of tener and tener que.
   Example: El Dr. Ruiz *tiene que* conducir.

a. Las calles de Australia no .... señalización.

b. Un estudiante .... ser responsable y disciplinado.

c. Los animales domésticos .... estar vacunados.

d. Estos libros .... gráficos útiles.

5. ANSWER the following questions:
   Example: ¿Qué tiene para beber?   *(agua mineral y jugos)*
                  Para beber tengo agua mineral y jugos.

a. ¿Quiénes tienen bastante energía?   (los niños)

   ....

b. ¿Por qué tienen tanto calor?   (la calefacción)

   ....

c. ¿Dónde tienes que poner las estampillas?   (el sobre)

   ....

d. ¿Qué tienen que hacer los deportistas?   (deporte)

....

6. PUT words in the right order, conjugate the verbs and form sentences in Immediate Future.

Example: / ir a preparar / yo / una ensalada
                 Yo voy a preparar una ensalada.

a. a un concierto / ir a asistir / nosotros

....

b. ir a expirar / las flores / pronto

....

c. nosotros / los bomberos / ir a llamar a / en este caso

....

d. ir a caer / una lluvia torrencial

....

7. IMAGINE and write down the dialogue. Use immediate future.

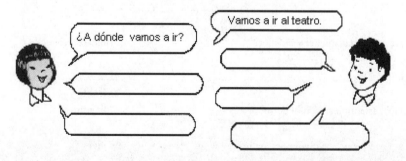

8. CONJUGATE the verbs in parentheses in the Present.

Example: *(escuchar)* Yo *estoy escuchando* tu voz. Él *está escuchando* música.
¿Qué *estáis escuchando* vosotros?

a. (mirar) Tú estás mirando las estrellas. Yo .... la luna. ¿Qué

.... vosotros?

b. (beber) Ella está bebiendo té. ¿Qué .... ustedes? Nosotros ....

café con leche.

c. (bailar) Rosa está bailando tango. Vosotros .... rock. ¿Ellos qué ....?

d. (abrir) Ellos están abriendo la puerta. Yo .... la ventana. ¿Quién ....

el paraguas?

9. ANSWER the following questions:

Example: ¿Dónde están vendiendo vino tinto? *(en el bar)*
Vino tinto están vendiendo en el bar.

a. ¿Las horas están pasando lentamente? (Sí)

....

b. ¿Quién está escribiendo un libro? (el periodista)

....

c. ¿Qué está ofreciendo el vendedor? (nuevos productos)

....

d. ¿Quién está molestando al perro? (el gato)

....

10. PAIR UP the expressions in columns A and B and fill in the blanks with the corre sponding numbers.

A   B

a. Bailar tango   1. Es justo   a. ....

b. Tener los mismos derechos   2. Es difícil   b. ....

c. Salir con una persona poco interesante   3. Es increíble   c. ....

d. Hacer un viaje a la luna   4. Es aburrido   d. ....

11. ANSWER the following questions using impersonal expressions.
   Example: ¿Qué es interesante en Latinoamérica?   *(entender la cultura)*
      Es interesante entender la cultura.

a. ¿En la vida qué es más importante?   (tener salud)

   ....

b. ¿En la mañana qué es obligatorio?   (desayunar nutritivamente)

   ....

c. ¿En la noche qué es más peligroso?   (caminar solo)

   ....

d. ¿En el mundo qué es loco?   (usar drogas)

   ....

12. CONJUGATE the verbs in the text in the Present tense.

¡BUENOS AMIGOS!

Enrique (ser) .... periodista y (trabajar) .... en las oficinas

de una radio.

Él (ser) .... un hombre generoso y (ayudar) .... siempre a

los amigos, si (ser) .... posible.

Hoy es un día hermoso. Después de comer en casa, Enrique (regresar) ....

a la oficina. De repente alguien (exclamar) .... :

- ¡Enrique! ¡Qué alegría! Precisamente (necesitar) .... ayuda, la ayuda de

un hombre generoso como tú.

Enrique pregunta:

- ¡Vaya! ¿Qué (pasar) .... ? ¿Qué ayuda tú (necesitar) .... ?

- Mira, Enrique, tú y tu esposa (ser) .... mis mejores amigos, (tener) ....

que ayudarme a buscar una solución a mi problema.

- ¿Pero, qué problema (tener) .... tú? (tener) .... una novia

simpática, ella (ser) .... joven. ¿Qué más (querer) .... tú?

- Dinero, Enrique, dinero!

- Juan, yo tampoco (tener) .... dinero. Pero (mirar) .... , yo

(ir) .... a hablar con mi jefe, (creer) .... que (tener)

.... un puesto de trabajo vacante.

- Juan (ver) .... horrorizado a su amigo y (decir) .... :

- ¿Trabajo? ¡Pero, Enrique, por favor! ¿(ser) .... esto generosidad?

THE GERUND
EL GERUNDIO

· **HABL -AR**	➡	habl -**ando**	*speak -ing*
· **COM -ER**	➡	com -**iendo**	*eat -ing*
· **VIV -IR**	➡	viv -**iendo**	*liv -ing*

1. Ponga la forma correcta del gerundio de los siguientes verbos.

a. caminar

...caminando...

b. poner

......poniendo.

c. ir

........yendo........

d. decir

.....diciendo....

e. dormir

......durmiendo

f. conocer

......conociendo

g. ver

......viendo...........

h. saber

......sabiendo......

i. estar

.......estando.

2. CHOOSE the most appropriate verb, put it in the Gerund, and complete the sentence.

Example: La tía está *contando* historias.

        a) acostar   b) hacer   c) mover   ***d) contar***

a. Todos están ....utilizando. paraguas para la lluvia.

    a) poner   b) utilizar   c) apostar   d) decir

b. Aquel chico está ......llorando...... por la muerte de su abuelo.

    a) llorar   b) reír   c) tocar   d) dar

c. Elena está ....jugando.... bingo con nosotros.

    a) cocinar   b) llamar   c) doler   d) jugar

d. Nosotros estamos ......sintiendo.... calor en este verano.

    a) hacer   b) morir   c) sentir   d) costar

REFLEXIVE VERBS,
DIRECT AND INDIRECT OBJECTS

73 - 96

REFLEXIVE VERBS
VERBOS REFLEXIVOS

■

Diagram box

Reflexive verb **bañar (se)** *to bath one's self*	Normal Verb **bañar** *to bath*
Él se baña. *He baths himself / he has a bath.* *(The subject does and receives the* *action of the verb.)*	**Él** baña a **su niño**. *He baths his child.* *(The object receives the* *action of the verb)*

Reflexive Pronouns			
yo	**me**	baño	*I have a bath.*
tú	**te**	bañas	*You have a bath.*
él / ella / usted	**se**	baña	*He / she / you have a bath.*
nosotros (as)	**nos**	bañamos	*We have a bath.*
vosotros (a)	**os**	bañáis	*You have a bath.*
ellos / ellas / ustedes	**se**	bañan	*They / you have a bath.*

1. CONJUGATE the following reflexive verbs.

	ellos	yo	nosotros	tú
a. cepillarse	se cepillan	me cepillo	nos cepillamos	te cepillas.
b. ponerse	se ponen	me pongo	nos ponemos	te pones.
c. sentirse	se sienten	me siento	nos sentimos	te sientes
d. quedarse	se quedan	me quedo	nos quedamos	te quedas.

2. COMPLETE the following text, using the reflexive verbs in the list.

dormirse	cepillarse	ducharse	reírse	secarse
acostarse	sentarse	irse	despedirse	pararse
levantarse	vestirse	sentirse		

[handwritten: say goodbye to, stand up stop.]

Cada día Elena ...se levanta... a las seis de la mañana, va al baño, ...se ducha... ,

...se cepilla... los dientes y ...se seca... con una toalla. Luego prepara el

desayuno, ...se sienta... a la mesa y desayuna jugo de frutas, pan y yogurt

...se viste... elegantemente con un traje gris, sale a la puerta, ...se despide... de

su madre y ...se va... de la casa al trabajo. Al llegar a su oficina saluda con todos

sus compañeros, ...se ríe... alegremente porque quiere ...sentirse... bien

durante todo el día.

Después de trabajar ocho horas ella ...se para... , toma su cartera y sale para su casa.

Después de merendar, ...se acuesta... en su confortable cama y ...se duerme... mien-

tras ve televisión.

3. IDENTIFY the actions of the verbs depicted below.

a. ....

b. *bañarse*

c ....

d. ....   e. ....   f. ....

4. CONJUGATE the following reflexive verbs.
   Example: *(ducharse)*   Yo *me ducho* cada mañana.

a. (ponerse)   Mi hijo siempre ....se..pone...... los mismos zapatos.

b. (quejarse)   Los peatones ....quejan.... de los conductores en las calles.

c. (peinarse)   Mi pequeña todavía no ....se..peina...... sola.

d. (aburrirse)   Yo siempre ....me...aburre........ cuando veo películas de violencia.

5. UNDERLINE the right verb, according to the meaning of sentence.
   Example: Elena (se pone / *pone*) el lápiz en la mesa.

a. Aquel señor (se llama / llama) Camilo Luzuriaga.

b. Nosotros (nos quedamos / quedamos) en ir al cine esta noche.

c. El ladrón (se lleva / lleva) el dinero del cajón del escritorio.

d. La gente (se duerme / duerme) en el bus cuando está muy cansada.

RECIPROCAL VERBS
VERBOS RECÍPROCOS

> **Diagram box**

• Nosotros **nos casamos** pronto.	*We are getting married soon.*
• Vosotros **os casáis**.	*You are getting married.*
• Ellos **se casan**.	*They are getting married.*

Commonly used Reciprocal verbs		
• abrazarse	• conocerse	• quererse
• amarse	• despedirse	• respetarse
• besarse	• divorciarse	• separarse
• casarse	• enamorarse	• saludarse
• comprenderse	• encontrarse	• verse
• comunicarse	• entenderse	

1. FOLLOW the example:

Tú hablas (a mí) y yo hablo (a ti)   *Nosotros nos hablamos*

a. María ama a Pedro y Pedro ama a María.   Ellas se aman

b. Tú miras (a mí) y yo miro (a ti)   nosotros nos miramos

c. Ana saluda a Luisa y Luisa saluda a Ana.   Ellos se saludan

d. Ellas abrazan a sus niñas y las niñas

abrazan a ellas.

Reciprocal Verbs

2. UNDERLINE the correct verb form, according to the meaning of the sentence.
   Example: Ella / casa - *se casa* / con mi hermano muy pronto.

a. Ellos / respetan - se respetan / mutuamente, por eso son felices.

b. Nosotros / queremos - nos queremos / desde hace algunos años.

c. Mis padres / aman - se aman / y / entienden - se entienden / muy bien.

d. Ella / conoce - se conoce / todo el país.

3. IDENTIFY the verbs and indicate whether they are reflexive or reciprocal:

   llamarse   despertarse   encontrarse   cepillarse   ducharse   dormirse

a. *encontrarse / recíproco*

b. cepillarse / reflexive

c. ducharse / reflexive

d. llamarse / recíproco

THE DIRECT OBJECT
EL COMPLEMENTO DIRECTO

DIRECT OBJECT PRONOUNS (D.O.P.)		
yo	**me**	(a mí)
tú	**te**	(a ti)
él / ella / usted	**lo - la** (le)	(a él, a ella, a usted)
nosotros (as)	**nos**	(a nosotros/ as)
vosotros (as)	**os**	(a vosotros/ as)
ellos / ellas / ustedes	**los- las** (les)	(a ellos, a ellas, a ustedes)

POSITION OF DIRECT OBJECT PRONOUNS

1. Before a conjugated verb.
2. Before or after a structure with infinitive.
3. Before or after a structure with gerund.

1. USE the direct object pronouns that correspond to the words in parentheses.
   Example: Los militares *nos* defienden con autoridad.   (*a nosotros*)

a. Todos ....te............ agradecemos por tu ayuda   (a ti)

b. Ellos ....me............ escuchan cuando hablo.   (a mí)

c. Tú ....las............ entregas.   (las llaves)

d. Él ....la............ mira.   (a Laura)

2. SUBSTITUTE the direct objects by pronouns.
    Example: Yo escribo *una carta*.   *Yo la escribo.*

a. Tracy repite las palabras nuevas.   *Tracy las repite*

b. Usted pide un café a la mesera.   *Usted lo pide a la mesera*.

c. Descubren minas de oro en Sudamérica.   ....

d. Voy a devolver los libros a la biblioteca.   ....

3. ANSWER the following questions using direct object pronouns.
    Example: ¿Usted necesita un buen diccionario?   *(sí)*
             Sí, lo necesito

a. ¿Dónde pone usted sus cosméticos?   (en la peinadora)

....

b. ¿Por qué compra muchas verduras?   (son buenas para la salud)

....

c. ¿Para qué prepara esta sopa de zanahoria?   (fortalecerme)

....

d. ¿Cómo hace Olga esta rica crema de brócoli?   (con condimentos)

....

The Direct Object

4. COMPLETE the following dialogue using appropriate direct object pronouns.

La madre está organizando la casa y su
hija le pregunta:

Hija: Mamá, ¿Por qué no .... dices dónde están

mis zapatos blancos?

Mamá: Porque no .... sé. Normalmente ....

pongo en el estante de zapatos donde deben estar.

Hija: Y, ¿Por qué no .... encuentro ahora?

Mamá: Porque tú siempre .... tienes debajo de tu cama y

luego no sabes donde encontrar ....

Hija: Gracias mamá, pero la próxima vez sí .... digo

donde .... dejo.

THE INDIRECT OBJECT
EL COMPLEMENTO INDIRECTO

Indirect Objects Pronouns (I.O.P)		
yo	**me**	(a mí)
tú	**te**	(a ti)
él / ella / usted	**le** (se)	(a él, a ella, a usted)
nosotros (as)	**nos**	(a nosotros /as)
vosotros (as)	**os**	(a vosotros /as)
ellos / ellas / ustedes	**les** (se)	(a ellos, a ellas, a ustedes)

POSITION OF INDIRECT OBJECT PRONOUNS

1. Before a conjugated verb.
2. Before or after a structure with infinitive.
3. Before or after a structure with gerund.

The Indirect Object

1. SUBSTITUTE the indirect object for its respective pronoun.
  Example: Yo digo muchas cosas *(a ti)*
         Yo *te* digo muchas cosas.

a. Traigo una manzana para mi hija.

......traigo...le....una....manzana.....................................

b. Elena canta una canción para nosotros en la oficina.

.........Elena....nos....canta....una....canción........

c. Ellos están planificando una fiesta para el gerente.

.......Ellos...le...están.......planificando....una...fiesta......

d. Susana va a donar juguetes a los niños.

.......Susana....les....va....a....donar....................

2. ANSWER the questions using appropriate indirect object pronouns.
  Example: ¿Quién presta los libros a Juan?   *(Andrea)*
         Andrea le presta los libros a Juan.

a. ¿Quién construye un albergue para los huérfanos?   (la fundación)

....

b. ¿Cuándo organizas una cena para mí?   (jueves)

....

c. ¿Quién sirve las bebidas a los invitados?   (el camarero)

....

d. ¿Los participantes dan aplausos al expositor en la conferencia?   (sí)

....

3. IDENTIFY the indirect objects of the following sentences and substitute them for pronouns.
Example: La enfermera pone la inyección *al niño.*
                La enfermera *le* pone la inyección.

a. El guardia entrega las llaves al administrador.

....

b. Las costureras diseñan los vestidos (a nosotras).

....

c. La abuela pone alpiste a los pájaros.

....

d. El gerente hace los folletos para vosotros.

....

TWO-OBJECT PRONOUNS

PRONOMBRES DE OBJETO DIRECTO E INDIRECTO

When both the direct and the indirect object are substituted by pronouns simultaneously, the I.O. pronoun always comes before the D.O. pronoun.

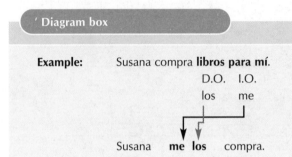

Diagram box

Example: Susana compra **libros para mí.**

                                    D.O.   I.O.
                                    los   me

              Susana   **me los**   compra.

POSITION OF TWO-OBJECT PRONOUNS

1. Before a conjugated verb.
2. Before or after a structure with infinitive.
3. Before or after a structure with gerund.

1. SUBSTITUTE the direct and indirect objects for pronouns.

Example: Lola trae *el periódico (a mí)*
              D.O.P. Lola *lo* trae (a mí)
              I.O.P   Lola *me* trae el periódico

a. El pintor va a dibujar un cuadro a su esposa.

D.O.P.   ..... El pintor va a dibujado a su esposa

I.O.P.   ..... El pintor le va a dibujar un cuadro.

b. Ellos están tocando el rondador para los asistentes.

D.O.P.   *Ellos están tocándolo para los asistentes*

I.O.P.   *Ellos están tocándoles el rondador*

c. El guía da un equipo de andinismo (a mí).

D.O.P.   *El guía b da lo a mí*

I.O.P.   *El guía me da un equipo de andinismo*

d. El médico pone una inyección a Pedro.

D.O.P.   *El médico la pone a Pedro*

I.O.P.   *El médico le pone una inyección*

2. IMAGINE the situation depicted below and write down the dialogue. Use direct and indirect object pronouns.

3. **SUBSTITUTE both the direct and the indirect object for their corresponding pronouns in the same sentence.**
   Example: Tú regalas *globos a los niños.*
   Tú *se los* regalas.

a. Aquí preparamos tacos para los mexicanos.

   Aquí se los preparamos

b. Ellos están planificando una sorpresa para nosotros.

   Ellos nos la están planificando

c. Tu hija regala un reloj (a ti)

   Tu hija te lo regala.

d. El camarero va a servir el vino (a mí)

   El camararero me lo va a servir

4. **ANSWER the questions using full sentences, substituting the direct and the indirect object at the same time.**
   Example: ¿Dónde están buscando una casa para los novios?   *(en un barrio seguro)*
   Están buscándosela en un barrio seguro.

a. ¿Quién va a cortar el cabello a Patricia?   (la peluquera)

   La peluquera va a cortardolo

b. ¿Pavaroti canta una canción para los lituanos?   (sí)

   Sí Pavaroti las la canta

c. ¿Quién está leyendo un cuento de hadas (a ti)?   (la abuela)

   La abuela está leyendotelo.

d. ¿Su novio suele mirar los ojos a usted?   (sí)

....

5. COMPLETE the letter using direct and indirect object pronouns, as appropriate:

Querida Rosa:

(A ti) ......*te*........ escribo esta carta para saludar ...*te*........... y preguntar ...*te*..........

cómo estás.

Nosotros estamos bien, pero muy tristes porque en tu carta ....*nos*........ dices que no

puedes pasar vacaciones con nosotros. Mira, quiero contestar ......*te*.......... lo que me pre

guntas en tu carta.

Sí, voy a decir ......*te*.......... toda la verdad a mis padres, como tú dices en tu carta, no es

bueno tener secretos si deseamos tener una familia unida, voy a escribir ....*le*............ una

larga carta a mamá, explicando ....*le*........ por qué no quiero estudiar arquitectura,

después voy a hablar ......*le*............ a papá para comunicar ....*la*.......... que quiero ser

abogado, ya me imagino que no va a estar contento.

Bueno, ...*me*.......... despido y ....*te*........ mando un abrazo.

Tu primo, Juan.

THE VERB GUSTAR
EL VERBO GUSTAR

General use of the verb GUSTAR				
(a mí)	me			
(a ti)	te			
(a él, a ella, a usted)	le	**GUSTA**	+	la cerveza
(a nosotros /as)	nos	**GUSTAN**	+	las cervezas
(a vosotros /as)	os			
(a ellos, a ellas, a ustedes)	les			
	I.O.P.	Verb GUSTAR 3rd person singular or plural.	**D.O.**	

Note:

The repetition of the preposition and Personal pronoun can be made for emphasis, before or after the main phrase.

Example: (A ti) **te gusta** esta ciudad (a ti).

1. COMPLETE the sentences using correct forms of the verb GUSTAR.
   Example: A Xavier *le gusta* el tequila sin limón.

a. A ellos no ......*se gusta*...... la música clásica.

b. A ti ....*te gusta*.... viajar por todo el mundo.

c. A mí ....*me gustan*.... los libros de Paulo Coelho.

d. A nosotros no ...*nos gustan*.... los colores brillantes.

2. PUT words in the right order and form sentences.
   Example: / los caballos / a nosotros / gustar /   *A nosotros nos gustan los caballos.*

a. / A los pájaros / las flores / gustar /   ....

b. / gustar / correr / por la naturaleza / a mí /   ....

c. / gustar / panecillos / a vosotros /   ....

d. / el orden / gustar / a nosotros /   ....

3. ANSWER the following questions, using GUSTAR correctly.
   Example: ¿Qué te gusta hacer cada mañana?   *(ejercicios)*
              Cada mañana me gusta hacer ejercicios.

a. ¿Por qué no te gusta la política?   (destruye la paz)

   ....

b. ¿Qué le gusta preparar lo fines de semana a Lilián?   (lasagña)

   ....

c. ¿Os gustan los deportes de aventura?   (si)

   ....

d. ¿Qué te gusta más, el café o la leche?   (el café)

   ....

VERBS USED WITH THE INDIRECT OBJECT

• agradar *to like so*	• doler	• fascinar	• parecer
• alegrar	• emocionar *excite*	• hacer falta *to be missed*	• preocupar *worry*
• apenar *to embarrass / grieve*	• encantar *charm / delight*	• halagar *flatter*	• sobrar *be left over*
• desagradar *displease*	• extrañar *to miss*	• importar *matter*	• sorprende *surprise*
• disgustar *displease*	• faltar	• interesar	• molestar

1. COMPLETE each sentence, choosing a verb from the list that suits the meaning of the sentence.

interesar   agradar   encantar   importar   fascinar

Example: A mí *me encanta* el fútbol americano.

a. A ellos ...*les importa*.... el país, por esto lo cuidan.

b. A mí no ...*me interesan*... las drogas, son fatales para la vida.

c. A Antonio ...*le agradan*... las chicas delgadas y morenas.

d. A nosotros ...*nos*.............. viajar.

2. USE correct forms of the verbs in parentheses to complete the sentence.
   Example: A usted *le quedan* apretados sus zapatos.   *(quedar)*

a. A nosotros ...*nos desagrada*...: la violencia contra los negros.   (desagradar)

b. A los jóvenes ...*les preocupan*... los prejuicios de la gente vieja.   (preocupar)

c. A Roberto y a Mario *les sorprenda* tu comportamiento.   (sorprender)

d. ¿A ti ...*te gusta*..... la comida picante?   (gustar)

3. ANSWER the questions using full sentences.

    Example: ¿A usted qué le gusta ver en televisión?   *(notas deportivas)*
                   A mí me gusta ver las notas deportivas.

a. ¿A quién le sobra el dinero?   (a Bill Gates)

    ....

b. ¿Te molesta cuando alguien te grita?   (sí)

    ....

c. ¿Por qué le encanta a usted ir a las ferias internacionales?   (conozco a mucha gente)

    ....

d. ¿A quién le interesa cuidar el ecosistema?   (todos)

    ....

THE SHORT FORM OF ADJECTIVES
LA FORMA CORTA DE LOS ADJETIVOS

1. Some adjectives can be used in a shortened form **in front** of a masculine singular noun.

> **Diagram box**
>
>   *incorrecto:*   *(bueno libro)*
>   **correcto**:   **buen** libro

Adjectives of this group	
Adjective	**Shortened form singular**
· **bueno**	buen
· **malo**	mal
· **primero**	primer
· **tercero**	tercer

Note:

These types of adjective are not affected in the plural form.

Example: **buen** libro   *(correct)*

                   buenos libros   *(correct)*

Important:

The adjective *grande* becomes *gran* when positioned in front of a masculine or feminine noun.

gran amigo	*correct*		
grande amigo	*incorrect*	amigo grande	*correct*
gran amiga	*correct*		
grande amiga	*incorrect*	amiga grande	*correct*

1. CHOOSE and complete the sentence with one of the words from the list.

   mal   buena   primeros   tercer   buen

Example: Juan es un ***mal*** amigo.

a. Vivimos en el ....*tercer*.......... piso.

b. Vamos a preparar una ....*buena*.......... comida.

c. Los ....*primeros*........ meses del año son importantes.

d. Un ....*buen*.......... libro es interesante leer.

2. COMPLETE the sentence with the appropiate form of the adjective.
   Example: (tercero / tercer)   El *tercer* puesto es para Luis.

a. (grande / gran)   Susi es la más ......*grande*..... de mis amigas

b. (mal / malas)   Este es un ....*mal*.............. día para nosotros.

c. (san / santa)   ....*santa*........... Teresa de Jesús es famosa.

d. (primero / primer)   El capítulo .....*primero*........ es difícil.

INDEFINITE ADJECTIVES AND PRONOUNS
PRONOMBRES Y ADJETIVOS INDEFINIDOS

· algo *something / anything*	**· nada** *nothing / (not) anything*	➡ **refers to things**
· alguien *someone / anyone*	**· nadie** *no one / (not) anyone*	➡ **refers to people**
· algún-o-a-os-as *some / any*	**· ningún-o-a** *no / none / (not) any*	➡ **refers to things or people**

> **Note:**
>
> **Indefinitives** *ninguno* **and** *ninguna* **cannot take the plural form**.
>
> incorrect :   (Ella no tiene ningunos amigos)
>
> **correct:** ➡   Ella no tiene ningún amigo.
>   *She doesn't have any friends.*

1. ANSWER the questions, using indefinite terms opposite to the ones in the questions.
   Example: ¿Tienes *algo* para comer?
       No, no tengo nada para comer.

a. ¿Alguien trae las frutas para la ensalada?

   No, nadie trae las frutas para la ensalada.

b. ¿Alguno de estos escultores es alemán?

   Ninguno de estos escultores es alemán

c. ¿Puedes prestarme algún libro para leer?

   No puedo prestarte ningún libro para leer.

d. ¿Algunas mujeres son machistas?

   No, ninguna mujer es machista.

2. CHOOSE the right indefinite term to complete the sentence.
   Example: No hay *nadie* en mi habitación.
   a) algo   b) ningún   *c) nadie*   d) ninguna

a. ¿Tenéis ....*alguna*........ noticia de vuestro hijo?
   a) nada   b) alguna   c) alguien   d) algo

b. No tienen ....*ninguna*........ esperanza de recuperarse.
   a) algunas   b) nadie   c) ninguna   d) alguna

c. ¿Hay ....*alguno*........ hotel cerca de aquí?
   a) algún   b) nada   c) alguno   d) ninguno

d. .....*alguien*........ no han venido a trabajar.
   a) algo   b) algunas   c) nada   d) alguien

3. CHOOSE and complete the sentence with one of the words from the list.
   alguno   alguna   algunos   ningún   ninguna

   Example: ¿*Alguno* de ustedes ha visto mis gafas?

a. No tenemos ....*ningún*........ motivo para quejarnos de usted, señor Pérez.

b. .....*alguna*........ vez ella prefirió comer "sushi".

c. ...*algunos*........ candidatos se han presentado a la entrevista.

d. ¿No os dio .....*ninguna*........ explicación de su proceder?

CHAPTER

4

THE IMPERATIVE MOOD

97 - 138

THE IMPERATIVE MOOD
EL IMPERATIVO

Concept.- The Imperative is used to express: advice, orders, wishes, prohibitions, instructions, suggestions, commands, requests

THE IMPERATIVE FORM - USTED AND USTEDES

Diagram box

Stem of verb in Present 1°· person singular	Imperative Endings	Imperative Usted		Imperative Ustedes	
yo **habl** -o	-e	¡habl -e!	*Speak!*	¡habl -en!	*Speak!*
yo **com** -o	-a	¡com -a!	*Eat!*	¡com -an!	*Eat!*
yo **viv** -o	-a	¡viv -a!	*Live!*	¡viv -an!	*Live!*

Irregular Verbs (usted - ustedes)

• **ir**	➡	¡vaya!	¡vayan!
• **saber**	➡	¡sepa!	¡sepan!
• **ser**	➡	¡sea!	¡sean!
• **dar**	➡	¡dé!	¡den!
• **estar**	➡	¡esté!	¡estén!

(handwritten margin notes: ¡vaya! ¡sepa! ¡sea! ¡de! ¡este!)

1. FORM the *usted* and *ustedes* Imperative forms of the following verbs:

		usted	ustedes
Example:	traer	*traiga*	*traigan*

a. recordar ....

b. pensar ....

c. conocer ....

d. concluir ....

2. CHOOSE the correct verb and complete the recipe below using the imperative form of *usted*.

agregar	servir	cocinar	añadir	acompañar
poner	freír	revolver	retirar	

Pasta con salsa de Atún

Ingredientes:

300 gr. de espaguetis pasta de tomate una lata de atún

cebolla perla pimiento sal, orégano, pimienta, aceite

Preparación:

a. .... los espaguetis en agua muy caliente con un poco de sal y aceite.

b. .... durante 12 minutos.

c. .... en una sartén la cebolla, los pimientos y el atún

d. .... la pasta de tomate y

e. .... todos estos ingredientes, luego

f. .... la sal, la pimienta y el orégano.

g. .... los spaguetis del fuego.

h. .... los spaguettis con la salsa de atún y

i. .... esta preparación con un vino tinto.

3. COMPLETE the text with the *usted* and *ustedes* Imperative forms of the verbs below :

ponerlas   contar   tener   traer   dejarla   hacer

El camarero habla con los huéspedes.

Camarero: Buenos días señores,

por favor: .... las maletas a la recepción.

.... con cuidado sobre aquella mesa y,

.... cuántas maletas dejan.

Huésped:

Por favor: .... cuidado con esta maleta tan pesada.

.... la cuenta de nuestra estadía, y

.... en nuestra habitación.

4. COMPLETE the sentences using *usted* or *ustedes* imperative forms.
    Example: Si quiere ser feliz ...   *¡Disfrute cada día de su vida!*

a. Si quiere tener muchos amigos ...   .

b. Si quieren hacer un buen examen...   ....

c. Si prefieren comer una comida excelente ... .

d. Si quiere vivir bien ...   .

THE IMPERATIVE FORM - TÚ

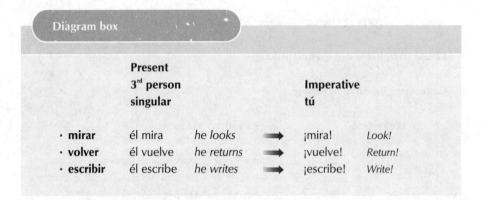

	Present 3rd person singular			Imperative tú	
• **mirar**	él mira	*he looks*	➡	¡mira!	*Look!*
• **volver**	él vuelve	*he returns*	➡	¡vuelve!	*Return!*
• **escribir**	él escribe	*he writes*	➡	¡escribe!	*Write!*

Irregular verbs (tú)

• **ir** ➡	¡ve!	*go!*	• **venir** ➡	¡ven!	*come!*
• **ser** ➡	¡sé!	*be!*	• **tener** ➡	¡ten!	*have!*
• **decir** ➡	¡di!	*say!*	• **salir** ➡	¡sal!	*leave¡*
• **poner** ➡	¡pon!	*put!*	• **hacer** ➡	¡haz!	*do!*

1. COMPLETE the sentences. Use the *tú* imperative form.
   Example: Si quieres ir al concierto,   *¡compra los boletos!*

a. Si quieres aprender a cocinar...   ....

b. Si quieres evitar problemas del corazón...   ....

c. Si necesitas conocer a personas especiales...   ....

d. Si deseas ser millonario...   ....

2. CHOOSE the right verb, form the *tú* imperative and complete the sentence.

Example: ¡Tú *mira* el semáforo antes de cruzar las calles!

   a) tener   b) poner   ***c) mirar***   d) comprar

a. ¡ .... mucho cuidado al hablar mal de tus compañeros!
   a) tener   b) dar   c) traer   d) venir

b. ¡ .... a las islas Galápagos porque es muy interesante conocerlas!
   a) ir   b) salir   c) vestir   d) caminar

c. ¡Pepe, ... este experimento!
   a) observar   b) sembrar   c) mentir   d) pedir

d. ¡Olguita, ... a la conferencia sobre el medio ambiente!
   a) asistir   b) manifestar   c) intervenir   d) escuchar

3. CHOOSE the verbs in these dialogues and use the imperative form of *tú* to complete the commands.

   estudiar   hacer   apagar

   a. La madre a su hijo:

   Por favor hijo: .... la televisión, ... tareas pronto porque

   porque ya es tar.

   poner   salir   desayunar

   b. La hermana a su hermano:

   Por favor Patricio: .... pronto de la ducha, ... el jabón

   en su sitio y .... con tranquilidad para salir juntos rápidamente.

poner   preparar   cocinar

c. La hija a su madre:

Por favor mamá: .... un rico jugo, ... dos huevos y

.... dos cucharitas de azúcar en mi café ¿sí? Gracias mami.

THE IMPERATIVE FORM - VOSOTROS

Diagram box

Stem of infinitive	Imperative Endings		Imperative vosotros	
pens **-ar**	-ad	➡	¡pens**ad**!	*Think!*
le **-er**	-ed	➡	¡le**ed**!	*Read!*
dec **-ir**	-id	➡	¡dec**id**!	*Say!*

1. FORM the *vosotros* imperative of the following verbs.

a. tener   b. hacer   c. ser

....

d. venir   e. estar   f. huir

....

2. COMPLETE the sentences creatively, using the *vosotros* imperative.
  Example: Si queréis hacer una caminata,   *¡salid temprano!*

a. Si deseáis viajar por el país, ...

b. Si pensáis preparar una rica salsa, ...

c. Si podéis ayudar a los pobres, ...

d. Si necesitáis escuchar a otras personas, ...

3. CHOOSE the appropriate verb and complete the sentences in the *vosotros* imperative form.

  Example: ¡Vosotros *venid* a visitarme!
       a) venir   b) dar   c) ser   d) poner

a. ¡Vosotros .... la situación!
   a) saber   b) comprender   c) dar   d) poder

b. ¡Vosotros .... todas vuestras energías!
   a) ser   b) ir   c) comprar   d) usar

c. ¡Vosotras .... la luz, no veo nada!
   a) apagar   b) encender   c) lucir   d) poner

d. ¡Vosotras .... estas cartas, son necesarias!
   a) venir   b) ir   c) ser   d) hacer

THE IMPERATIVE FORM - NOSOTROS

Diagram box

Imperative usted				Imperative nosotros	
hable	+	mos	➡	¡hable**mos**!	*Let's speak!*
coma	+	mos	➡	¡coma**mos**!	*Let's eat!*
viv**a**	+	mos	➡	¡viva**mos**!	*Let's live!*

1. FORM the *nosotros* imperative of the following verbs.

a. poner   b. salir   c. dar

....

d. estar   e. construir   f. ir

....

2. CHOOSE the appropriate verb and complete the sentences in the *vosotros* imperative form.

Example: ¡Nosotros *escuchemos* al presidente!
            a) escuchar   b) ir   c) ser   d) salir

a. ¡Nosotros .... la naturaleza!
   a) oír   b) proteger   c) dar   d) poder

b. ¡Nosotros .... nuestros intereses!
   a) ser   b) ir   c) cuidar   d) usar

c. ¡Nosotras .... la luz!
   a) apagar   b) caminar   c) lucir   d) poner

3. COMPLETE the sentences creatively, using the *nosotros* imperative.

Example: Si queremos hablar inglés, *¡practiquemos!*

a. Si pensamos cambiar de uniformes, ...

b. Si queremos ser más alegres, ...

c. Si podemos ayudar a los pobres, ...

d. Si preferimos adelgazar, ...

THE NEGATIVE IMPERATIVE FORM

LA FORMA NEGATIVA DEL IMPERATIVO

THE NEGATIVE IMPERATIVE FORM -USTED - USTEDES

Diagram box

	AFFIRMATIVE *usted - ustedes*			NEGATIVE *usted - ustedes*	
Hablar:	¡hable! *Speak!*	¡hablen! *Speak!*	→ →	¡**no** hable! *Don't speak!*	¡**no** hablen! *Don't speak!*
Comer:	¡coma! *Eat!*	¡coman! *Eat!*	→ →	¡**no** coma! *Don't eat!*	¡**no** coman! *Don't eat!*
Vivir:	¡viva!! *Live!!*	¡vivan! *Live!*	→ →	¡**no** viva! *Don't live!*	¡**no** vivan! *Don't live!*

1. **CHOOSE the verb and complete the sentences with the negative imperative of *usted* or *ustedes*.**

   El profesor a los estudiantes:

traer	ser	jugar	hacer

   Por favor señores estudiantes:

   a. No .... las tareas en este momento.

   b. .... irresponsables con sus lecciones.

   c. .... en la clase.

   d. .... a sus mascotas.

2. **TURN the sentences from the affirmative imperative into the negative form.**
   Example: ¡Haga bastante ruido!   *¡No haga bastante ruido!*

   a. ¡Amen a sus enemigos!   ....

   b. ¡Hable mal de la gente!   ....

   c. ¡Llamen a la policía durante la noche!   ....

   d. ¡Vaya a la iglesia si está enojado!   ....

3. **PUT words in the right order and form sentences in the the negative imperative of** *usted* **or** *ustedes forms.*

    Example: / no comenzar / usted / a trabajar / tarde /
                No comience a trabajar tarde.

a. / no fumar / ustedes / un paquete de cigarrillos /

....

b. / no hacer / usted / el contrato de trabajo /

....

c. / no poner / ustedes / los pies en la mesa /

....

d. / no hacer / usted / las cosas sin pensar

....

THE NEGATIVE IMPERATIVE FORM - TÚ

Diagram box					
		AFFIRMATIVE **usted**		**NEGATIVE** **tú**	
hablar	*to speak*	¡ hable !	(+s) ➡	¡**no** hables!	!*Don't speak!*
conocer	*to meet/know*	¡ conozca!	(+s) ➡	¡**no** conozcas**!**	!*Don't meet!*
ir	*to go*	¡ vaya !	(+s) ➡	¡**no** vayas	!*Don't go!*

1. CHOOSE the right verb and complete the sentences with the *tú* negative imperative form.

Example: ¡No *rompas* esos papeles!

a) querer   b) ser   c) estar   ***d) romper***

a. ¡No .... ese noticiero, es muy deprimente!

a) saber   b) conocer   c) oír   d) dar

b. ¡No .... esa película tan miedosa!

a) mirar   b) escuchar   c) ver   d) conocer

c. ¡No .... la luz!, estoy durmiendo

a) encender   b) apagar   c) poner   d) dar

d. ¡No .... ese libro, lo tengo en casa!

a) vender   b) ahorrar   c) ganar   d) comprar

2. REARRANGE the words and create sentences with the *tú* negative imperative form.

Example: / Aceptar / tú / la propuesta / del gerente /
No aceptes la propuesta del gerente.

a. / tú / decir / aquí / malas palabras /

....

b. / apostar / tú / dinero / en el casino /

....

c. / ir / tú / al museo / está cerrado /

....

d. / tú / tarde de la oficina / salir /

....

THE NEGATIVE IMPERATIVE FORM - VOSOTROS

Diagram box

		usted				vosotros	
ser	to be	sea	+	is	➡	¡**no** seáis!	Don't be!
ir	to go	vaya	+	is	➡	¡**no** vayáis!	Don't go!
estar	to be	esté	+	is	➡	¡**no** estéis!	Don't be!

1. CHOOSE the right verb and complete the sentences, using the *vosotros* negative imperative.

1. El entrenador a los futbolistas:

comer	declarar	jugar	venir

Por favor señores:

a. No .... sin el uniforme apropiado.

b. No .... nada a la prensa, sin mi permiso.

c. No .... sin las rodilleras.

d. No .... nada antes del partido.

2. El doctor a los pacientes:

| fumar | hacer | consumir | dañar |

Por favor señores y señoras.

a. No .... vuestro cuerpo.

b. No .... tantos ejercicios fuertes.

c. No .... comida descompuesta.

d. No .... , es perjudicial para la salud.

2. FORM the *vosotros* negative imperative form.
  Example: Prevenir el accidente.   *¡No prevengáis accidentes!*

a. conducir sin luces   ¡No .... !

b. venir a esta hora   ¡No .... !

c. almorzar muy tarde   ¡No .... !

d. comer muchos dulces   ¡No .... !

THE NEGATIVE IMPERATIVE FORM - NOSOTROS

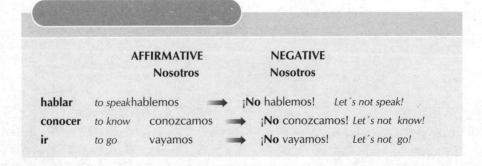

	AFFIRMATIVE		NEGATIVE	
	Nosotros		Nosotros	
hablar	*to speak*	hablemos ➡	**¡No** hablemos!	*Let´s not speak!*
conocer	*to know*	conozcamos ➡	**¡No** conozcamos!	*Let´s not know!*
ir	*to go*	vayamos ➡	**¡No** vayamos!	*Let´s not go!*

1. CHOOSE the right verb and complete the sentences, using the *nosotros* negative imperative.

1. El director a los profesores:

ser	llegar	poner	tratar

Por favor señores:

a. No .... mal a los niños.

b. No .... malas calificaciones.

c. No .... tarde a la escuela.

d. No .... muy exigentes.

2. El padre a la familia:

desarreglar	dejar	causar	dañar

Por favor:

a. No .... problemas entre nosotros.

b. No .... la casa siempre.

c. No .... la ropa en cualquier lugar.

d. No .... los artefactos eléctricos.

2. FORM the *nosotros* negative imperative form.
   Example: Causar problemas.   *¡No causemos problemas!*

a. fumar dentro de la casa   ¡No .... !

b. consumir bebidas alcohólicas   ¡No .... !

c. hablar mal de la gente   ¡No .... !

d. conducir a alta velocidad   ¡No .... !

THE IMPERATIVE WITH PRONOUNS

EL IMPERATIVO CON PRONOMBRES

REFLEXIVE PRONOUNS
DIRECT OBJECT PRONOUNS
INDIRECT OBJECT PRONOUNS
TWO-OBJECT PRONOUNS

In the affirmative Imperative, the pronoun is located **after** the verb to form one simple word. In the negative Imperative, the pronoun is located **before** the verb to form three different words.

THE IMPERATIVE WITH REFLEXIVE PRONOUNS

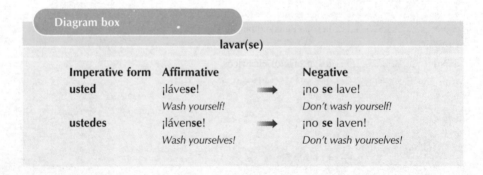

Diagram box		
	lavar(se)	
Imperative form	**Affirmative**	**Negative**
usted	¡lávese!	¡no **se** lave!
	Wash yourself!	*Don't wash yourself!*
ustedes	¡lávense!	¡no **se** laven!
	Wash yourselves!	*Don't wash yourselves!*

The Imperative with Pronouns

tú	¡láva**te**!	⟹	¡no **te** laves!
	Wash yourself!		*Don't wash yourself!*
vosotros	¡lava**os**!	⟹	¡no **os** lavéis!
	Wash yourselves!		*Don't wash yourselves!*
nosotros	¡lavémo**nos**!	⟹	¡no n**os** lavemos!
	Let us wash ourselves! Let´s not wash ourselves!		

1. FORM the imperative of the following reflexive verbs.

Example:	bañarse	**usted**	**tú**	**tú (no)**
		¡báñese!	*¡báñate!*	*no te bañes*

a. ponerse   nosotros   vosotros   tú (no)

....

b. sacarse   usted (no)   ustedes   tú

....

c. vestirse   nosotros (no)   tú (no)   vosotros (no)

....

d. peinarse   tú   nosotros (no)   ustedes

....

2. CHOOSE the right reflexive verb and complete the sentence in the Imperative.

1. La madre a su hijo:

levantarse	ponerse	despedirse	cepillarse

a. .... temprano, vas a llegar tarde.

b. .... el uniforme.

c. .... los dientes.

d. .... y vamos a la escuela.

2. El gerente a los empleados:

equivocarse	enfadarse	olvidarse	sentarse

a. .... que voy a darles algunos consejos.

b. No .... en sus decisiones.

c. No .... por los cambios que estamos haciendo.

d. No .... que todos somos una familia.

THE IMPERATIVE
WITH DIRECT OBJECT PRONOUNS

LEER un libro
D.O.

Imperative	Affirmative			Negative	
usted	¡léalo!	*Read it!*	➡	¡no **lo** lea!	*Don't read it!*
ustedes	¡léanlo!	*Read it!*	➡	¡no **lo** lean!	*Don't read it!*
tú	¡léelo!	*Read it!*	➡	¡no **lo** leas!	*Don't read it!*
vosotros	¡leedlo!	*Read it!*	➡	¡no **lo** leáis!	*Don't read it!*
nosotros	¡leámoslo!	*Let us read it!*	➡	¡no **lo** leamos!	*Let's not read it!*

1. SUBSTITUTE the direct object with its respective pronoun and use it with the different imperative forms of the following verbs.

Example: *Comprar las revistas.*
 usted   tú (no)   vosotros
 cómprelas   *no las compres*   *compradlas*

a. *Comer las frutas frescas*
 usted   ustedes   vosotros

....

b. *Conocer a mi madre*
 usted (no)   ustedes   tú (no)

....

c. *Esperar el tren*

nosotros (no)	vosotros (no)	ustedes (no)
....	....	....

d. *Leer las revistas*

usted (no)	nosotros	tú (no)
....	....	....

2. SUBSTITUTE the direct object with a pronoun and use it in the imperative.
   Example: ¡Señorita, entienda mi posición!   *¡Señorita, entiéndala!*

a. ¡Pon las flores en la mesa!   ....

b. ¡Devuelvan los cuadros a Soledad!   ....

c. ¡Encuentra (a mí) en el parque!   ....

d. ¡No traigan malos amigos a casa!   ....

THE IMPERATIVE
WITH INDIRECT OBJECT PRONOUNS

Diagram box •

Leer un libro **a los niños**   **I.O.**

Imperative			Affirmative	Imperative
Negative				
usted ¡ léa**les** el libro!	*Read the book to them!*	➡	¡no **les** lea el libro!	*Don't read the book to them!*
ustedes ¡léan**les** el libro!	*Read the book to them!*	➡	¡no **les** lean el libro!	*Don't read the book to them!*
tú ¡lée**les** el libro!	*Read the book to them!*	➡	¡no **les** leas el libro!	*Don't read the book to them!*
vosotros ¡leed**les** el libro!	*Read the book to them!*	➡	¡no **les** leáis el libro!	*Don't read the book to them!*
nosotros ¡leámos**les** el libro!	*Let´s read the book to them!*	➡	no **les** leamos el libro!	*Let´s not read the book to them*

1. CHANGE the sentences into imperative and substitute the indirect objects with pronouns.

Example: Ellos aceptan el regalo a mí.
(Ustedes)   *¡rechácenme!*

a. Mi padre compra a mí una guitarra.

(Tú)   ....

b. La abuela prepara la torta a nosotros.

(Usted)   ....

c. El jefe da órdenes al guardia.

(Nosotros)   ....

d. Los niños traen los juguetes a nosotros.

The Imperative with Pronouns

(Vosotros) ....
2. SUBSITUTE the indirect object with a pronoun and use the indicated imperative form.

Example: Usted ¡Traiga las fotos a su abuelo!
                ¡Tráigale las fotos!

a. ¡Preste su cámara a nosotros por un momento!

....

b. ¡No entreguen las cartas a los destinatarios!

....

c. ¡No compren caramelos a los pequeños!

....

d. ¡Compra a mí ese paraguas, por favor!

....

THE IMPERATIVE
WITH TWO-OBJECT PRONOUNS

Diagram box

Leer **un libro a los niños**
     D.O.   I.O.
     LoLe *(Se)*

Imperative	Affirmative		Negative
usted	¡ léa**selo** !	➡	¡no **se lo** lea!
	Read it to them!		*Don't read it to them!*
ustedes	¡ léan**selo** !	➡	¡no **se lo** lean!
	Read it to them!		*Don't read it to them!*
tú	¡ lée**selo** !	➡	¡no **se lo** leas!
	Read it to them!		*Don't read it to them!*
vosotros	¡ leéd**selo** !	➡	¡no **se lo** leáis!
	Read it to them!		*Don't read it to them!*
nosotros	¡ leámo**selo** !	➡	¡no **se lo** leamos!
	Let's read it to them!		*Let´s not read it to them!*

1. **SUBSTITUTE direct and indirect objects with pronouns and use with the indicated imperative forms.**

Example: regalar la cartera a la secretaria
         usted   tú   tú (no)
      regálesela   *regálasela*   *no se la regales*

a. dar las llaves a nosotros
      vosotros   vosotros (no)   ustedes

....
b. pedir el documento a mi hermano
        usted   tú   tú (no)

....
c. traer el mensaje a Sara
        ustedes   vosotros   vosotros (no)

....
d. escribir una carta a ellos
        vosotros   vosotros (no)   ustedes

....

2. SUBSTITUTE direct and indirect objects with pronouns.
    Example: ¡Cornelia, entrega esa carta (a mí)!
                 ¡Cornelia, entrégamela!

a. ¡Señor, presente sus nuevos escritos a nosotros!

....

b. ¡General, dé órdenes a sus subalternos!

....

c. ¡Trae un rondador del Perú para mí!

....

d. ¡Arquitecto, construya el puente para el pueblo!

....

The Imperative with Pronouns

3. COMPLETE the table with infinitives and imperatives.

	INFINITIVE	USTED	TÚ	TÚ (NO)	VOSOTROS (NO)
a.	Salir				
b.		ríase			
c.			comienza		
d.				no mientas	
e.					no respondáis
f.	Ponerse				
g.		váyase			
h.			toca		
i.				no cuelgues	
j.					no tengáis
k.	Elegir				
l.		vístase			
m.			duérmete		
n.				no hagas	
o.					no seáis

4. FOLLOW the example:
/ la maleta / devolver / a ella /
(tú) *Devuelve la maleta (a ella)*   *¡devuélvesela!*

a. / comprar / el computador / a los niños

(ustedes) ....

b. / a la tía / hacer / el favor /

(vosotros) ....

c. / rentar / el departamento / a nosotros /

(usted) ....

d. / diseñar / el vestido / a mí / /

(tú)   ....

ADVERBS
LOS ADVERBIOS

Diagram box

- adverb **adjective**
  La gente está **muy** tranquila.
  The people are very calm.

- **verb** adverb
  Pepe *come* **bastante**.
  Pepe eats a lot.

- adverb **past participle**
  Este texto está **mal** hecho.
  The text is badly done.

- adverb **adverb**
  Mi amigo vive **aquí** cerca.
  My friend lives near here.

1. REARRANGE the words below and create sentences.

Example: / duerme / últimamente / el bebé / cansado /
Últimamente el bebé duerme cansado.

a. los avances / fácilmente / en grandes países / se observan /

....

b. / el panorama / mejor / desde aquí / se divisa /

....

c. tener la razón / los padres / creen / siempre /

....

d. deje / saldremos / de llover / cuando /

....

2. COMPLETE the sentences with the Adverbs : mal, mucho, cerca, rápidamente, siempre.

Example: Él habla *rápidamente* por eso no puedo entenderlo.

a. Todo el mundo dice que yo me parezco .... a mi abuelo.

b. Esta habitación huele .... a flores frescas.

c. Está muy cansada porque durmió .... la noche pasada.

d. Los documentos que buscas están .... del escritorio del jefe.

3. COMPLETE the following sentences with the Adverbs below.
   Example: Todos viven *alrededor* de los condominios.

a menudo	varias	posiblemente
alrededor	despacio	frecuentemente

a. Los ecologistas .... hablan de la conservación de la naturaleza.

b. Casi todos tenemos .... ideas sobre la vida.

c. El conductor conduce .... porque tiene precaución.

d. Las madres .... manejan su sexto sentido.

■ THE DIMINUTIVE AND THE AUGMENTATIVE

EL DIMINUTIVO Y AUMENTATIVO

The Diminutive Expresses affection, smallness, emotion.	The Augmentative Expresses contempt, greatness, irony.
• casa ➡ cas**ita** *(Noun)* • bueno ➡ buen**ito** *(Adjective)* • bastante ➡ bastant**ito** *(Adverb)* • uno ➡ un**ito** *(Indefinite pronouns)*	• casa ➡ cas**ota** *(Noun)* • bueno ➡ buen**ote** *(Adjective)* • bastante ➡ bastant**ote** *(Adverb)* • uno ➡ un**ote** *(Indefinite pronouns)*

Diminutive and Augmentatives

1. FILL the gaps with the correct form of the Diminutive or Augmentative.

Example: león   *leoncito*   árbol   *arbolote*

Diminutivo   **Aumentativo**

a. vela   ....   e. mesa   ....

b. Miguel   ....   f. papel   ....

c. flor   ....   g. carta   ....

d. pobre   ....   h. libro   ....

2. COMPLETE the following sentences with the correct form of the Augmentative.

Example: Mi hermana tiene una casa *grandota.*   *(grande)*

a. El .... de mi prima es un pastor alemán.   (perro)

b. En la biblioteca existen todavía unos .... antiguos.   (libros)

c. Le daremos un .... por el cumpleaños de mi tía.   (regalo)

d. Estoy feliz, te daré unos ....   (beso)

3. PAIR up the antonyms, writing the correct word in the spaces.

a. pequeñito   ....   altote

b. bajito   ....   gordote

c. cerquita   ....   grandote

d. delgadito   ....   lejotes

COMPARATIVES AND SUPERLATIVES
LOS COMPARATIVOS Y SUPERLATIVOS

COMPARATIVES

Comparatives		Comparative Term	Examples
· **Superiority**	➡	**más que**	El perro es más ágil que el gato. *The dog is more agile than the cat.*
· **Inferiority**	➡	**menos que**	El perro es menos ágil que el gato. *The dog is less agile than the cat.*
· **Equality**	➡	**tan / tanto como**	El perro es tan ágil como el gato. *The dog is as agile as the cat.*
· **Identity**	➡	**igual / mismo**	El perro es igual de ágil que el gato. *The dog is just as agile as the cat.*

SUPERLATIVES

Absolute Superlative	Relative Superlative
1. muy + adjective	**1. article + más + adjective + de**
· Muy tranquilo *Very calm*	· El más tranquilo de la clase. *The calmest in the class.*
2. adjective + -ísimo-a-os-as	**2. más + adjective + que**
· Tranquilísimo *Extremely calm*	· El más tranquilo que... (conozco) *The calmest that (I know).*

1. FOLLOW the example. Use the correct form of the comparative.

Pedro es fuerte y Pablo es igual de fuerte.
Pedro es *tan fuerte como* Pablo.

a. Lucrecia no es muy guapa pero Marlene sí lo es.

....

b. El metal es duro, el aluminio no lo es tanto.

....

c. Suiza produce muchas máquinas, pero no las exporta todas.

....

d. Ese hombre es simpático. No lo imaginaba tan simpático.

....

2. SELECT from the particles below and complete the following sentences.

Como / que / de

a. Judith es más alta .... Rosario.

b. Rolando no tiene menos .... 22 años.

c. Tú sabes más .... lo que debes.

d. En el circo me divierto tanto .... los niños.

3. UNDERLINE the correct Comparative in each instance.
   Example: Lo compré muy barato pagué (más, **_menos_**) de la mitad del precio.

a. El gasta en ropa (más, tanto) de lo que gana.

b. Este ejercicio de vocabulario es (igual, tan) difícil como el de álgebra.

c. No le pidáis (tan, más) amor del que puede ofreceros.

d. Tenía (menos, tanto) talento como su madre para tocar el piano.

4. SELECT an appropriate Comparative and complete the following sentences.
   Example: Ellos tienen *igual* derecho que nosotros.

tan como	*igual*	menos que	tanta como	mismos

a. Hay gente que posee .... experiencia .... otros.

b. Piensan que ganamos .... dinero .... ellos.

c. Este grupo es .... listo .... aquel.

d. Mi hermano tiene los .... ojos que mi madre.

THE PAST TENSE

Notes on Grammar:

Notes on Grammar:

THE PAST TENSE
EL TIEMPO PASADO

DIAGRAM OF THE PAST TENSES

- The Preterite - *El Pretérito Indefinido*
- The Imperfect - *El Pretérito Imperfecto*
- The Present Perfect - *El Pretérito Perfecto*
- The Pluperfect - *El Pretérito Pluscuamperfecto*

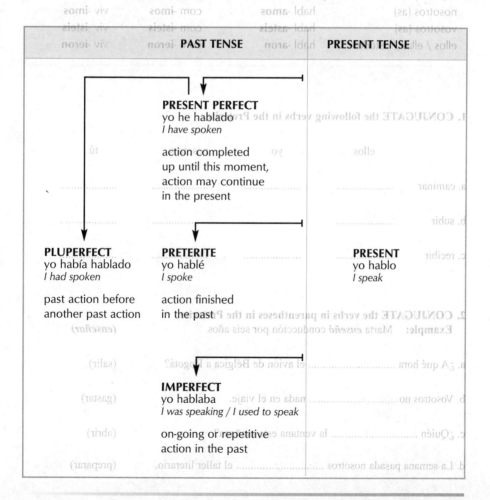

PAST TENSE		PRESENT TENSE

PRESENT PERFECT
yo he hablado
I have spoken

action completed
up until this moment,
action may continue
in the present

PLUPERFECT	**PRETERITE**	**PRESENT**
yo había hablado	yo hablé	yo hablo
I had spoken	*I spoke*	*I speak*
past action before	action finished	
another past action	in the past	

IMPERFECT
yo hablaba
I was speaking / I used to speak

on-going or repetitive
action in the past

THE PRETERITE

EL PRETÉRITO INDEFINIDO

	habl -ar *to speak*	**com -er** *to eat*	**viv -ir** *to live*
yo	habl **-é**	com **-í**	viv **-í**
tú	habl **-aste**	com **-iste**	viv **-iste**
él / ella / usted	habl **-ó**	com **-ió**	viv **-ió**
nosotros (as)	habl **-amos**	com **-imos**	viv **-imos**
vosotros (as)	habl **-asteis**	com **-isteis**	viv **-isteis**
ellos / ellas / ustedes	habl **-aron**	com **-ieron**	viv **-ieron**

1. CONJUGATE the following verbs in the Preterite.

	ellos	yo	nosotros	tú
a. caminar	....	....	....	....
b. subir	....	....	....	....
c. recibir	....	....	....	....

2. CONJUGATE the verbs in parentheses in the Preterite.
Example: Marta *enseñó* conducción por seis años.   *(enseñar)*

a. ¿A qué hora ....*salió*........... el avión de Bélgica a Bogotá?   (salir)

b. Vosotros no ....*gastasteis*.... nada en el viaje.   (gastar)

c. ¿Quién ....*abrió*........... la ventana esta mañana?   (abrir)

d. La semana pasada nosotros ....*preparamos*. el taller literario.   (preparar)

3. CHOOSE the appropriate verb, conjugate it in the Preterite and complete the sentence.

Example: Los andinistas *subieron* a las montañas con todo su equipo.

      a) usar   b) tocar   **c) *subir***   d) coser

a. Ellos no nos ..... propusieron de ningún nuevo contrato de trabajo.

    a) decir   b) proponer   c) hablar   d) contratar

b. Yo te ..... recomendé ..... un buen gimnasio.

    a) dar   b) recomendar   c) hablar   d) pedir

c. Nosotros ..... compramos ..... los muebles equivocados.

    a) venir   b) comprar   c) dar   d) ser

d. El escritor ..... escribió ..... una de sus mejores obras.

    a) ser   b) poner   c) estar   d) escribir

4. CHANGE the text below from the Present tense into the Preterite.

La rutina de un día normal.

El martes pasado nuestra familia se levanta muy temprano para empezar un día normal. Como siempre me ducho, me cepillo los dientes, me peino, me arreglo y luego desayuno con toda mi familia.

Mi madre prepara un desayuno especial con jugo de frutas naturales, leche, pan y un poco de queso o mermelada, yo le agradezco a mi madre, porque ella me prepara algo nutritivo.

Después de desayunar tomo mi cartera, me despido de mis padres con un beso en la mejilla y alegre salgo a trabajar.

....

....

....

IRREGULAR VERBS

1. EXTREMELY IRREGULAR VERBS - Individual Cases

dar	ser	ir
di	fui	fui
diste	fuiste	fuiste
dio	fue	fue
dimos	fuimos	fuimos
disteis	fuisteis	fuisteis
dieron	fueron	fueron

1. CONJUGATE the irregular verbs in the Preterite.

	vosotros	yo	tú	nosotros
a. ser	fuisteis	fui	fuiste	fuimos
b. ir	fuisteis	fui	fuiste	fuimos
c. dar	disteis	di	diste	dimos

2. CONJUGATE the verbs in parenthesis in the Preterite.

Example: Nosotros *(ir) fuimos* a Francia el año pasado.

a. Ellos (ser) ....fuimos.... buenos estudiantes en aquel tiempo.

b. Yo le (dar) ....di.... un abrazo a mi padre.

c. Tú (ir) ....fuiste.... a visitarnos la última Navidad.

d. Ustedes (ser) ....fueron.... amigos antes de ser novios.

2. EXTREMELY IRREGULAR VERBS WITH A PATTERN- Simple Verbs

Strong irregular verbs with a pattern			
Simple Verbs			
infinitive	pattern	stem	endings
GROUP 1			
estar		est**uv**	**-e**
tener	**-uv**	t**uv**	**-iste**
andar		and**uv**	**-o**
GROUP 2			
querer		**quis**	**-imos**
venir	**-i**	v**in**	**-isteis**
hacer		***hic**	
GROUP 3			**-ieron/*-eron**
poner		**pus**	
poder		pud	
saber	**-u**	sup	
caber		**cup**	
haber		hub	
*GROUP 4			
decir		***dij**	
traer	**-j**	***traj**	
traducir		***traduj**	

* Hacer, changes to **hizo** in 3ʳᵈ person singular.

* Irregular verbs with the Preterite stem ending in **j** adopt the ending -eron in 3rd person plural.

1. CONJUGATE the following verbs the Preterite.

	yo	ellos	nosotros	tú
a. detener	detuve	detuvieron	detuvimos	detuviste
b. traducir	traduje	tradujeron	tradujimos	tradujiste

handwritten margin note: e
iste
o
imos
isteis
ieron.

c. predecir   ...*predije*...   ....

2. CONJUGATE the verbs in parenthesis in the Preterite.

> **Example:**   Las mujeres *hicieron* una marcha por la paz.   *(hacer)*

a. El gobierno no ...*redujo*........... los precios de los pasajes.   (reducir)

b. Los doctores ....*dieron*....... un diagnóstico reservado del paciente.   (dar)

c. Oscar ....*deshizo*........ el compromiso con Elisa.   (deshacer)

d. Rigoberta Menchú ...*intervino*....... en la conferencia de la ONU.   (intervenir)

3. CHOOSE the appropriate verb, conjugate it in the Preterite and complete the sentence.

> **Example:**   Todo el personal *mantuvo* buenas relaciones.
> a) contener   b) querer   *c) mantener*   d) poder

a. Aquel arquitecto no ....*construyó*...... este hotel cinco estrellas.
   a) saber   b) decir   c) proponer   d) construir

b. Nuestro país ......*produjo*........ más café que en el año pasado.
   a) predecir   b) producir   c) traducir   d) deshacer

c. El abuelo .....*condujo*......... el auto y se chocó.
   a) caminar   b) conducir   c) venir   d) salir

d. Anoche no ....*hubo*............ leña para la chimenea.
   a) dar   b) haber   c) poner   d) hacer

4. ANSWER the following questions using the Preterite.

Example: ¿Dónde estuvieron los estudiantes? *(la cafetería)*
Los estudiantes estuvieron en la cafetería

a. ¿Quién tradujo el texto en alemán? (Anita)

Anita tradujo el texto en alemán

b. ¿Pudiste encontrar la dirección de la Embajada? (No)

No, no pude encontrar la dirección de la Embajada.

c. ¿Qué hicieron los jefes cuando supieron la verdad? (nada)

Lo jefes no hicieron nada cuando supieron la verdad.

d. ¿Cuándo anduvo por el centro de la ciudad? (la semana pasada)

Anduvo la semana pasada por el centro de la ciudad.

5. IMAGINE the situation depicted below and write down the dialogue. Use verbs which are irregular in the Preterite.

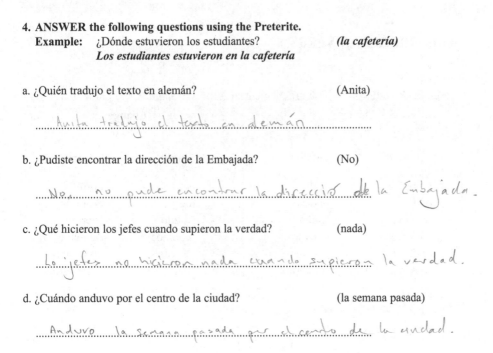

SEMI-IRREGULAR VERBS

Group 1
These are -IR verbs that exhibit irregularities in 3rd person singular and plural only.

Change e to i		Change o to u	
preferir	**pedir**	**morir**	**dormir**
preferí	pedí	morí	dormí
preferiste	pediste	moriste	dormiste
*prefirió	*pidió	*murió	*durmió
preferimos	pedimos	morimos	dormimos
preferisteis	pedisteis	moristeis	dormisteis
*prefirieron	*pidieron	*murieron	*durmieron

Verbs on this group		
· advertir	· divertir(se)	· reír
· competir	· elegir	· seguir
· conseguir	· freír	· sentir
· consentir	· impedir	· servir
· corregir	· medir	· sonreír
· despedir	· mentir	· sugerir
· desvestir(se)	· perseguir	· vestirse

1. WRITE down the infinitive of each verb and conjugate it in the Preterite.

infinitivo		yo	ellos	vosotros
a. ...sentir...	sentimos	sentí	sintieron	sentisteis
b. ...corregir...	corregimos	corregí	corrigieron	corregisteis

c. ...dormir...... dormimos ......dormí...... ......durmieron...... dormiste

2. CONJUGATE the verbs in parentheses in the Preterite.

Example: La cantante *vistió* ropa extravagante en el concierto. *(vestir)*

a. Todos ......sugerieron...... cenar después de mirar la película. (sugerir)

b. Los viajeros no ....consiguieron.... el equipo completo de buceo. (conseguir)

c. El padre ...consintió........ a su hijo muchas veces. (consentir)

d. El abuelo de mi vecina ...murió...... hace cinco años. (morir)

3. CHOOSE the right verb from the list and complete the sentence in the Preterite.

Example: Los trabajadores se *refirieron* a sus derechos laborales.

divertir **referir** sentir pedir morir despedirse

a ¿Estás seguro que todos se ...divirtieron... en la reunión?

b. Cuando regresamos a casa, ellos ...se despidieron...

c. Muchos soldados ......murieron...... en la guerra.

d.¿Cómo te ......sentiste...... en esa mañana tan fría?

1. CONJUGATE the verbs in the parentheses in the Preterite.
Example: El sospechoso narcotraficante *huyó* del país. (huir)

a. Mucha gente .... en las mentiras de los políticos. (creer)

b. Un rayo .... sobre los árboles del parque central. (caer)

c. Los ecologistas .... con sus ideas en los jóvenes. (influir)

d. Los perros de mi vecino .... la tranquilidad del sector. (destruir)

Group 2

These are verbs that change the letter **i** of the ending to **y** in 3rd person singular and plural only.

caer	leer	huir
caí	leí	huí
caíste	leíste	huiste
* cayó	* leyó	* huyó
caímos	leímos	huimos
caísteis	leísteis	huisteis
* cayeron	* leyeron	* huyeron

Verbs in this group

- atribuir
- concluir
- construir
- contribuir
- creer
- decaer
- destituir
- destruir

- distribuir
- fluir
- incluir
- influir
- oír
- poseer
- proveer
- retribuir

1. CONJUGATE the verbs in the parentheses in the Preterite.

Example: El sospechoso narcotraficante *huyó* del país. *(huir)*

a. Mucha gente ...creyó... en las mentiras de los políticos. (creer)

b. Un rayo ...cayó... sobre los árboles del parque central. (caer)

c. Los ecologistas ...influyeron... con sus ideas en los jóvenes. (influir)

d. Los perros de mi vecino ...destruyeron... la tranquilidad del sector. (destruir)

2. CHOOSE the appropriate verb, conjugate it in the Preterite and complete the sentence.

Example: El abuelo *distribuyó* en forma justa la herencia
a) huir   **b) distribuir**   c) poseer   d) oír

a. Los niños ......*creyeron* todo lo que escucharon de los "ovnis"
a) creer   b) poseer   c) distribuir   d) oír

b. Los sacerdotes ....*distribuyeron* tierras a los pobres.
a) creer   b) incluir   c) distribuir   d) oír

c. El ingeniero y los albañiles ..*construyeron*. el puente de la ciudad.
a) destituir   b) incluir   c) influir   d) construir

d. Silvia ...*atribuyo*....... mucho en las decisiones del divorcio.
a) incluir   b) influir   c) distribuir   d) atribuir

3. CONJUGATE the verbs in the Preterite.

Example: Mis padres / oír / nuevas noticias sobre el accidente   *oyeron*

a. Los cocos / caer / de la palmera.   *cayeron*

b. Todos los pintores / creer / en sus obras   *creyeron*

c. El ratón / huir / cuando miró al gato.   *huyo*

d. Cuando escucharon las razones / decaer / su ánimo.   *decayo*

The Preterite - Irregular Verbs

Group 3

These are verbs that change the letter **i** of the ending to **y** in 3rd person singular and plural only.

practicar	pagar	almorzar
* practi**qué**	* pa**gué**	* almor**cé**
practicaste	pagaste	almorzaste
practicó	pagó	almorzó
practicamos	pagamos	almorzamos
practicasteis	pagasteis	almorzasteis
practicaron	pagaron	almorzaron

Verbs in this group			
-CAR	• secar	• juzgar	• cazar
	• tocar	• llegar	• comenzar
• acercar(se)	• ubicar	• navegar	• cruzar
• atacar	• unificar	• negar	• empezar
• buscar		• obligar	• esforzar(se)
• dedicar	**-GAR**	• otorgar	• lanzar
• diagnosticar		• pegar	• localizar
• equivocar(se)	• apagar	• rogar	• organizar
• explicar	• castigar		• realizar
• identificar	• colgar	**-ZAR**	• rechazar
• justificar	• conjugar		• rezar
• provocar	• entregar	• abrazar	• simpatizar
• sacar	• jugar	• analizar	• utilizar

1. WRITE down the infinitives of the verbs and conjugate them in the Preterite.

	infinitivo	yo	vosotros	tú
a. buscamos	buscar	busqué	buscasteis	buscaste
b. pagamos	pagar	pagué	pagasteis	pagaste
c. comenzamos	comenzar	comencé	comenzasteis	comenzaste

2. FILL IN the blanks with the verbs in parentheses, conjugated in the Preterite.

Example: Yo *busqué* un buen restaurante para comer sushi. *(buscar)*

a. Yo ....*colgué*........... en la pared la fotografía de mi ciudad. (colgar)

b. Tú ....*colocaste*...... los neumáticos en el auto. (colocar)

c. Yo ...*acerqué*........... a ti por amor, no por interés. (acercarse)

d. Los bomberos ....*localizaron*.....a las víctimas en el incendio. (localizar)

3. ANSWER the following questions using the Preterite.

Example: ¿Qué diagnosticaron los médicos? *(Un virus)*
Los médicos diagnosticaron un virus.

a. ¿Usted juzgó mal a los políticos de su país? (No)

No juzgué mal a los políticos de mi país.

b. ¿Quién empezó la discusión de hoy? (Felipe)

Felipe empezó la discusión de hoy.

c. ¿Le atacaron a usted alguna vez en su vida? (Ninguna)

No le atacaron ninguna vez en mi vida.

d. ¿Sus amigos se movilizaron en bicicleta por el sur? (Sí)

Mis amigos se movilizaron en bicicleta por el sur.

THE IMPERFECT
EL PRETÉRITO IMPERFECTO

	habl -ar	com -er	viv -ir
yo	habl -**aba**	com -**ía**	viv -**ía**
tú	habl -**abas**	com -**ías**	viv -**ías**
él / ella / usted	habl -**aba**	com -**ía**	viv -**ía**
nosotros (as)	habl -**ábamos**	com -**íamos**	viv -**íamos**
vosotros (as)	habl -**abais**	com -**íais**	viv -**íais**
ellos / ellas / ustedes	habl -**aban**	com -**ían**	viv -**ían**

IRREGULAR VERBS

In the Imperfect there are only three irregular verbs:

ser	ir	ver
era	iba	veía
eras	ibas	veías
era	iba	veía
éramos	íbamos	veíamos
erais	ibais	veíais
eran	iban	veían

(handwritten margin notes:)
ser / ir
era / iba
eras / ibas
era / iba
éramos / íbamos
erais / ibais
eran / iban

veía

1. CONJUGATE the verbs below in the Imperfect.

	yo	ellos	nosotras	tú
a. traer	*traía*	*traían*	*traíamos*	*traías*
b. coger	*cogía*	*cogían*	*cogíamos*	*cogías*
c. decir	*decía*	*decían*	*decíamos*	*decías*

The Imperfect Tense

2. CONJUGATE the verbs in parentheses in the Imperfect.
   Example: (ser)   Él *era* simpático. Mi padre *era* muy serio. ¿Cómo *eras* tú?

a. (ir)   Nosotros ......*íbamos*...... a caminar. Juan ......*iba*...... a correr.

   ¿A dónde ......*iban*...... ellos?

b. (almorzar)   Ellos ......*almorzaban*......a las 13:00. Yo ......*almorzaba*...... a las 14:00.

   ¿A qué hora ......*almorzaba*......tu asistente?

c. (leer)   Yo ......*leía*...... muchas revistas. Ellos ......*leían*...... historias

   de terror. ¿Qué ......*leía*...... usted?

d. (trabajar)   El obrero ......*trabajaba*...... frecuentemente. Los médicos nunca

   ......*trabajaban*...... ¿Vosotros ......*trabajabais*...... bastante?

3. CHANGE the verbs in the following text from the Present tense into the Imperfect.

Son las cuatro de la mañana y montamos todos a caballo. Antes de las
seis debemos alcanzar la altura de las montañas occidentales que nos proponemos subir.
El frío es intenso y hablamos poco porque parece que las palabras nos hacen perder
algo de nuestro calor interno.

Era las cuatro de la mañana y montábamos todos a caballo. Antes de las seis debíamos alcanzar la altura de las montañas occidentales que nos proponíamos subir. El frío era intenso y hablábamos poco porque parecía que las palabras nos hacían perder algo de nuestro calor interno.

USES

USE 1. The Imperfect expresses duration or continuation of an action in the past.
(English: I was / You were ... ing)

> **Diagram box**
>
> Ejemplo: Anoche **recordaba** a mis padres.
> *I was thinking of my parents last night..*
>
> **Estar + Gerund** ➡ progressive form
>
> Anoche **estaba recordando** a mis padres.
> *I was thinking of my parents last night..*

1. FOLLOW the example:
/ pensar / en mi situación financiera.   *Estaba pensando en mi situación financiera.*

a. / las manos hacia arriba / todos / levantar /   *todos levantaba las manos hacia*

b. / la señora Susana / por todo / discutir /   *la señora Susana discutía por todo*

c. / el perro / a la gente / ladrar /   *el perro ladraba a la gente*

d. / caer / la nieve / como copos /   *la nieve caía como copos*

2. CHANGE the sentences from the Present into the Imperfect tense.
Example: El atleta practica.   *El atleta practicaba.*

a. La migración es importante.   *La migración era importante*

b. El payaso hace reír a su público.   *El payaso hacía reír a su público.*

c. El pescador recoge bastante pescado. *El pescador recogía bastante pescado.*

d. Dicen que vale la pena. *Dician que vale la pena.*

3. CONJUGATE the verbs between bars into the Imperfect.
   Example: Nosotros / *tener* / la experiencia suficiente. *teníamos*

a. El colibrí / volar / libremente de flor en flor. *volaba*

b. Los artistas / dibujar / los rostros de los niños en la calle. *dibujaban*

c. El soldado / dormir / en la guardia porque estaba muy cansado *dormía*

d. La carrera de caballos / ser / esperada por todos. *era*

USE 2. **The Imperfect expresses repetition of an action in the past - habit, custom or routine.** (English: *I used to*)

Expressions of time indicating repetition	
• cada que	*every time that*
• de vez en cuando	*once in a while*
• a veces	*sometimes*
• frecuentemente	*often*
• habitualmente	*usually*
• generalmente	*generally / usually*
• normalmente	*normally / usually*
• cada día / semana, etc.	*every day / week, etc.*
• todos los días / años / veranos, etc.	*every day / year / summer etc.*
• todas las noches / tardes , etc.	*every night / afternoon , etc.*

1. PUT words in the right order, conjugate the verbs and form sentences in the Imperfect.

Example: / Cada semana / revisar / el propietario sus ingresos.
Cada semana el propietario revisaba sus ingresos.

a. / Normalmente / tomar / yogurt con cereales / ellos /

Normalmente ellos tomían yogurt con cereales.

b. / visitar / el príncipe / frecuentemente / a los huérfanos /

Frecuentemente El príncipe visitaba a los huérfanos

c. / sentenciar / el juez / / a menudo / a los delincuentes /

A menudo el juez sentenciaba a los delincuentes

d. / respirar / con dificultad / normalmente / nosotros /

Nosotros normalmente respirabamos con dificultad.

2. CHOOSE one of the two verbs and complete the sentences in the Imperfect.

saber / conocer

a. Él no .... lo que sucedía habitualmente en la oficina.

b. Aunque .... el lugar, generalmente no me lo decía.

c. ¿ .... tú que cada tarde llovía?

d. A veces me decías que .... qué hacer.

3. COMPOSE a text in the Imperfect using the words given below and give an appropriate title.

| película | cine | escenas de acción | los protagonistas |
| ser | estar | sentir   ver | haber |

Título: ....

Texto: ...Cada... que... veía... una... película... con...

...muchas... escenas... de... acción... cuando... los...

...protagonistas...

....

USE 3. The Imperfect is used to narrate, describe or recall past events.

The Imperfect brings past actions to life at the moment they are being retold or related.

1. PAIR up expressions in columns A and B, and fill in the blanks with corresponding numerals.

A	B	
a. Se sentía culpable	1. No le interesaba nada.	a. ...4...
b. Organizaba ferias y exposiciones	2. Atraía al público a comprar.	b. ...1...
c. No prestaba atención	3. Hacía diseños precolombinos.	c. ...2...
d. El alfarero hacía ollas de barro.	4. Le mintió a su madre.	d. ...3...

2. CONJUGATE the verbs in parentheses in the Imperfect and fill in the blanks.

Juan Sebastián Bach

(ser) ......*Era*.............. un compositor y arreglista alemán. (tener) ......*Tenía*.........

veinte hijos de sus dos matrimonios.

Por los años 1770 (comenzar) ...*comenzaba*.... su carrera musical como cantor en el coro

de la Michaele Schule de Luneburg.

Su obra (representar) ...*representaba*...una síntesis de superior calidad de una gran época

de la historia musical.

Bach no (ser) ....*era*.............. sólo un creador sino también (ser) ......*era*...............

un ejecutante de primer orden, sobre todo en el órgano. Sus composiciones para este instru

mento (constar) ......*constaba*......... de sonatas, preludios y corales.

3. PUT words in the right order and form sentences in the Imperfect.
   Example: / El compositor / la mente ágil / tener/
       El compositor tenía la mente ágil.

a. / protestar por / la tala indiscriminada / de bosques / ellos /

......*Ellos protestaba por la tala indiscriminada de bosques.*......

b. / Martín Lutero / los manejos de la iglesia católica / cuestionar /

......*Martín Lutero cuestionaba los manejos de la iglesia católica.*......

c. / basarse / en la ciencia experimental / la sabiduría /

<u>la sabiduría se basaba en la ciencia experimental</u>

d. / Charles Chaplin / un sentido del humor original / poseer /

<u>Charles Chaplin poseía un sentido del humor original .</u>

USE 4. The Imperfect can express courtesy or kindness. *(generally in questions)*

1. COMPLETE the sentences, using indicated verbs in the Imperfect.
Example: ¿Necesitabas decirme algo?　　*Sí, necesitaba pedirte un favor.*

a. ¿ Qué necesitaba? ¿Puedo ayudarla?　　Sí, por favor ...<u>necesitaba ayuda</u>...

b. ¿Pensabais acompañarme al circo?　　Sí, ...

c. ¿Deseaban vino blanco o vino tinto?　　..

d. ¿Qué pensaba hacer este fin de semana? ....

2. PUT words in the right order and form questions in the Imperfect.
Example: / ustedes / querer / qué /
　　　　　　¿Qué querían ustedes?

a. desear / tú / algo para traerte /

<u>Deseabas algo para traerte?</u>

b. / necesitar / ella / un libro de Allende /

<u>Necesitaba un libro de Allende?</u>

c. / los padres / querer pedir / algo especial /

¿querían los padres pedir algo especial?

d. / venir / a pedirle un consejo / tú /

venías a pedirle un consejo

USE 5. It is used to describe the course of a past action.

The Imperfect expresses an action that was on-going ("reference" action) at the time that another action, expressed in past tense, occurred.

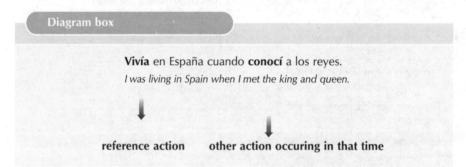

Diagram box

Vivía en España cuando **conocí** a los reyes.
I was living in Spain when I met the king and queen.

reference action   other action occuring in that time

1. CONJUGATE the verb in the Imperfect and complete the sentence.
   Example: _(haber) Había_ mucha gente cuando entré en el banco

a. (dormir)   _Dormían_ todos cuando el ladrón se robó el auto.

b. (caminar)   _Caminaba_ y me caí sin pensarlo.

c. (practicar)   _practicaba_ tenis y me fracturé la mano.

d. (querer)   _quería_ escribirte, pero nunca lo hicimos.

Posición contraria:

a. Cuando vi a mi novia, (estar / yo) ....*estaba* *en* el bus .

b. Cuando salimos del restaurante, (llover) ...*llovía* *mucho* .

c. Cuando regresamos aquí, (haber) ....*había*............

d. Cuando escuché tu voz, (yo / caminar) ....*caminaba*... *a* la tienda .

2. PAIR up expressions in columns A and B, and fill in the blanks with corresponding numerals.

A	B	
a. Quería hablar contigo,	1. y te escribí una carta.	a. .....*3*.....
b. Soñaba que me atacaban,	2. me quedé en casa.	b. .....*2*.....
c. Pensaba en ti,	3. fui a visitarte.	c. .....*1*.....
d. Tenía tanto frío,	4. me desperté fatigada.	d. .....*2*.....

3. CONJUGATE the verbs in parenthesis correctly in the Imperfect or the Preterite.
   Example: *(querer) quería* descansar, pero *(haber) había* mucho ruido

a. (buscar) El .....*buscaba*....... a alguien y (preguntar) ...*preguntó*........ por ti.

b. (desear) ..*Deseaba*.......... visitarte, sin embargo no lo (hacer) ....*hice*............

c. (tener) .....*tenía*......... tanta vergüenza, por eso no (ir) ......*fui*........... a verte.

d. (caminar) ...*Caminaba*....... por el parque, cuando (ver a ti) ...*te* *vi*......

The Imperfect .- Uses

USE 6. The Imperfect expresses a past cause, while the consequence is expressed in the Preterite.

> **Diagram box**

> · **Imperfect** ➡ cause
> · **Preterite** ➡ consequence

> **Example:** La fruta **estaba** verde por eso no la **compré**.
>
>   **cause**   **consequence**
>
> *The fruit was green, that's why I didn't buy it.*

1. ANSWER the questions, giving a cause.

    Example: ¿Por qué no viniste a visitarme anoche?   *(estar enojado)*
                   No vine anoche porque estaba enojado.

a. ¿Por qué se sintió mal el astronauta?   (estar sin oxígeno)

    El astronauta se sintió mal porque estaba sin oxígeno
    Porque estaba sin oxígeno

b. ¿Por qué yo no intervine en el diálogo?   (no saber qué decir)

    No interveniste en el diálogo porque no sabía qué decir
    Porque no sabía qué decir

c. ¿Por qué Picaso fue tan famoso?   (mostrar su sensibilidad)

    Picaso fue tan famoso porque mostraba su sensibilidad.
    Mostraba su sensibilidad

d. ¿Por qué la chica se desmayó en el bus?   (estar embarazada)

    La chica se desmayó en el bus porque estaba embarazada.

2. THINK of a cause and complete the sentences in the Imperfect.

  Example: (causa) *Este saxo sonaba muy bien,* por eso lo compré.

a. (causa) Hacía mmy fut, entonces me puse un abrigo.

b. (causa) La bailina era fantastica, por eso le aplaudieron.

c. (causa) Tenían mas Sal, por eso apostaron por el caballo blanco.

d. (causa) Estaba enferma, entonces me atendieron pronto.

3. FORM a sentence which expresses both cause and consequence, using the verbs given.

  Example: Fumar / morirse   *Fumaba drogas y por eso se murió muy joven.*

a. a. molestar / golpearlo.   molestaba mucho, por eso le golpé

b. a. gritar / salir   El gato gritaba cada noche y salió la ciudad.

c. a. hacer /triunfar   ....

d. comer tanto / engordar   ....

USE 7. It can express two or more simultaneous actions in the the past.

> **Diagram box**
>
> **Simultaneous actions**
>
> **mientras** *while*
>
> + **Imperfect** + **Imperfect**
>
> **cuando** *when*
>
> **Example**: Cantaba **mientras** tocaba la guitarra.
> *I was singing while I was playing the guitar*

1. **CONJUGATE the verbs in parentheses in the Imperfect.**
   Example: Mientras él *(estacionar) estacionaba* el auto, yo lo *(mirar) miraba*.

a. Ayer por la noche cuando nosotros (viajar) .....viajábamos.. (pensar) ....pensábamos..

en nuestra familia que está lejos.

b. Mientras vosotros (hacer) ......hacíe............. la cena, yo (preparar) .....preparaba.....

algunas bebidas.

c. El jueves pasado mientras ustedes (practicar) ...practicaba..... los ejercicios en el gim

nasio, el entrenador (mirar) ...miraba........... a las chicas.

d. Mientras vosotros (ducharse) ..os...duchabais.. yo (seleccionar) ...seleccionaba.. la

ropa para usar en la ceremonia.

2. CONJUGATE the verbs in parentheses in the Imperfect.
   Example: Mientras la banda *(tocar)* el público *(bailar)*
   Mientras la banda *tocaba*, el público *bailaba*.

a. Mientras Natalia (comprar) zapatos, Sofía (mirarla) atentamente.

Mientras Natalia compraba zapatos, Sofía la miraba atentamente

b. La gente (hacer) cola mientras las secretarias (conversar).

La gente hacía cola mientras las secretarias conversaban.

c. El policía (correr) mientras el ladrón (escaparse) rápidamente.

El policía corría mientras el ladrón se escapaba rápidamente.

d. Cuando el semáforo (ponerse) en rojo los peatones (cruzar) la calle.

Cuando el semáforo se ponía en rojo los peatones cruzaban la calle.

3. PAIR up expressions in columns A and B, and fill in the blanks with corresponding numerals.

A	B	
a. Mientras cantaba en el escenario,	1. pensaba en mi boda.	a. ....3....
b. Cuando el abuelo contaba su vida,	2. la abuela se ponía nostálgica.	b. ....2....
c. Mientras diseñaba el vestido de novia,	3. recordaba bellos momentos.	c. ....1....
d. Cuando el escritor escribía sus obras,	4. la gente lloraba de emoción.	d. ....

The Imperfect - Uses

ciento cincuenta y nueve   159

USE 8. It is used to express proposals or intentions.

1. ANSWER the following questions in the Imperfect.
    Example: ¿Qué **tenías** que hacer tú?   *(firmar unos documentos)*
                Tenía que firmar unos documentos

a. ¿Estabas segura que ibas a ganar ese trofeo?   (no)

    No estaba segura que iba a ganar ese trofeo

b. ¿Creían que iban a obtener prestigio?   (sí)

    Sí creían que iban a obtener prestijio

c. ¿Cuándo pensó usted que debía aprovechar la ocasión?   (en la fiesta)

    pensa que debía aprovechar

d. ¿Qué queríais hacer esta tarde?   (visitar a una amiga)

    queríamos visitar a una amiga esta tarde

2. WRITE down sentences which indicate intentions, using the verbs and subjects given.
    Example: deber / ustedes   *Ustedes debían presentar el plan.*

a. tener que / David y Pedro   ....

b. haber que pensar   ....

c. deber esperar / las autoridades   ....

d. esperar / los invitados   ....

3. CHOOSE the appropriate verb and complete the sentence in the Imperfect and Preterite

Example: / desear / poder / La madre ***deseaba*** ir de vacaciones, pero no ***pudo.***

a. / querer / ser / El artista ....*quería*.......... plasmar con sus manos, más no

.......*fui*........... posible.

b. / pensar / tener / El arquitecto .....*pensaba*........ en construir el Arco del Triunfo,

pero ....*tuvo*.......... algunos inconvenientes.

c. / tener / haber / Golda Meier ......*tenía*........... que viajar a los Estados Unidos,

pero no ....*hubo*......... vuelos.

d. / desear / terminar / César Gaviria .....*deseaba*........... afrontar la guerrilla,

pero ....*terminó*......... su período.

USE 9. The Imperfect is used for indirect speech when direct speech is in the Present or in the Imperfect.

Diagram box

Direct Speech		**Indirect Speech**
Juan dice: "No **tengo** sueño."		**Juan dijo** que no **tenía** sueño.
Juan says I'm not sleepy.		*Juan said he wasn't sleepy.*
	¿Qué dijo Juan?	
	What did Juan say?	
Juan dice: "No **tenía** sueño"		**Juan dijo** que no **tenía** sueño.
Juan says I wasn't sleepy.		*Juan said he wasn't sleepy.*

1. **CHANGE the sentences from direct speech into indirect speech. Use the verbs of perception given in parentheses.**
   Example: Martina: hago la pasta con champiñones.
   (decir)   ***Martina dijo que hacía la pasta con champiñones.***

a. Los abogados: siempre le hacíamos firmar al juez.

   (contar)   ~~Los abogados conto que siempre le hacíamos firmar al juez~~

b. Vosotros: tenemos bastante frío.

   (afirmar)   ~~Vosotros afirmasteis que teníamos bastante frío~~

c. La señora Fernández: no tomo las medicinas.

   (asegurar)   ~~La señora Fernández aseguro que no tomabe las med~~

d. Tú: nos vamos esta noche al concierto.

   (indicar)   ~~Tú indijiste que ibamos esta noche al concierto~~

2. **COMPLETE the sentences, using the Imperfect to form indirect speech.**
   Example: Los bomberos dijeron *que acudían* a las emergencias.

a. La prensa dijo que el clima ~~cambiaba~~ *se calentaba.*

b. El empleado del bar escuchó que Tania ....

c. Yo les confirmé a los salvavidas que tú ....

d. Las enfermeras me afirmaron que ellos ....

3. COMPLETE the sentences using the correct Imperfect form.
   Example: Él espera a su novia.   Dijo que *esperaba a su novia.*

a. Está cansado   Se dio cuenta que ..... *estaba cansado.*

b. No tiene ganas de salir   Aseguró que ..... *no tenía ganas de salir*

c. Es mi día libre   Indicó que ..... *era su día libre*

d. Siempre tienes la razón   Opinó que ..... *siempre tenía la razón.*

DIFFERENCES BETWEEN
THE PRETERITE AND THE IMPERFECT
DIFERENCIAS ENTRE PRETERITO INDEFINIDO E IMPERFECTO

Preterite	Imperfect
Expresses actions definitively finished in the past.	The action can not continue in the present.
Expresses past actions.	It is not certain whether the action continues.
Determines a series of actions terminated in the past.	Describes past actions.
Expresses consequence.	Expresses causation.
Expresses an action which has finished while another action, that acts as a reference, was still on-going.	Expresses the course of an action, during which another action developed and ended.
Action literally takes less time. (Determinative / definitive action)	Action literally lasts longer. (Action of duration, habit or repetition)

1. CHOOSE the correct verb, conjugate it in the Preterite or Imperfect and complete the sentences.

Example: dar / decir   Aquel año ellos sí ***dieron*** una contribución económica.

a. estar / huir   Cuando ella ...*estaba*........ enfadada, todos .....*huyaron*

b. conocer / saber   Yo no .....*sabía*.............. lo que estaba pasando.

c. dormir / dormirse   El bebé ....*durmió*........ más de una hora.

d. hacer / haber   No ....*había*......... nadie, cuando llegamos.

2. CONJUGATE the verbs in parentheses in the Preterite or Imperfect, depending on the context.

Mitología del signo de Piscis

Se cuenta que Venus y Cupido cansados de sus tareas (descansar)

...*descansaban*. a orillas del río Éufrates, cuando de pronto el gigante Tifón (surgir)

......*surgió*......... de las aguas. Estos, aterrados y en un esfuerzo por huir, (lanzarse)

...*se lanzaron*. al agua. Allí (convertirse) *se convirtió*...... en peces y (poder)

....*paso*.............. esconderse en la vegetación de la rivera. Se cree que Venus para evitar

su separación de Cupido, lo (atar) .... a su cuerpo con una cinta.

Minerva, diosa de la sabiduría, (ser) .... quien (querer) ....

inmortalizar esta hazaña de Venus colocando la constelación de Piscis en los cielos.

Es por esto que Venus y su hijo Cupido (ser) .... representados por dos

peces con sus cabezas en direcciones contrarias.

3. UNDERLINE the correct form of the verb according to the context.
   Example: (*eran*, fueron) las ocho cuando salí con mi novio.

a. Me (sentí, sentía) mal por eso no fui a visitar la galería de arte.

b. Cuando (tuvo, tenía) diez años, (fue, era) una chica bastante traviesa.

c. Mi compañero (dijo, decía) que (fue, iba) a analizar la encuesta.

d. (Era, fue) una noche gris, (hizo, hacía) mal tiempo y yo (estuve, estaba) triste.

4. UNDERLINE the appropriate form of the verb in the Preterite or Imperfect.

Cuando yo (**fui / era**) más joven me (**gustó / gustaba**) leer mucho en la biblioteca. (**Creí / Creía**) que la biblioteca (**fue / era**) un lugar impresionante porque (**hubo / había**) tantos libros y porque todo el mundo (**habló / hablaba**) en voz baja; por eso me (**pareció / parecía**) un lugar muy serio. Generalmente yo (**fui / iba**) por las tardes, porque una vez (**vi /veía**) al señor Pérez, que (**fue / era**) un bibliotecario muy simpático que me (**habló / hablaba**) sobre la Historia del mundo.

5. CONJUGATE the verbs in the Preterite or Imperfect.
    Example: **(salir)**   Cada mañana tú *salías* a correr por el parque.

a. (poder)   Anoche no ......*pude*............ llamarte.

b. (ser)   ....*era*............ tarde cuando fuimos a casa.

c. (molestar)   Siempre Pedro me .....*molestaba*

d. (hacer)   ¿Por qué tú no ....*hiciste*...... la tarea?

THE PRESENT PERFECT
EL PRETÉRITO PERFECTO

	HABER in Present	Past Participle
yo	**he**	
tú	**has**	habl-**ado**
él / ella / usted	**ha** +	com-**ido**
nosotros (as)	**hemos**	viv-**ido**
vosotros (as)	**habéis**	
ellos / ellas / ustedes	**han**	

Irregular past participles			
• decir	➡ dicho	• poner	➡ puesto
• hacer	➡ hecho	• ver	➡ visto
• resolver	➡ resuelto	• escribir	➡ escrito
• abrir	➡ abierto	• romper	➡ roto
• cubrir	➡ cubierto	• volver	➡ vuelto
• morir	➡ muerto	• absolver	➡ absuelto

1. CONJUGATE the verbs in parentheses in the Perfect and complete the sentences.

Example: Tú todavía no *has hecho* las reservaciones para la ópera.   *(hacer)*

a. Los gobernantes ...han...construido...más escuelas en los sectores rurales.   (construir)

b. Rigoberta Menchú .... en varias conferencias para mujeres.   (participar)

c. Los andinistas .... un diario delas aventuras en los Andes.   (escribir)

d. La moda siempre .... sobre la juventud.   (influir)

2. CONJUGATE the verbs between bars in the Perfect.

Doña Inés

Y de pronto, sin saber por qué, misteriosamente, Diego

/ volver / .... la cabeza y / ver / .... a

doña Inés. La mirada del poeta / quedar / .... clavada en los ojos

de la dama; la mirada de la dama se / posar / .... en los ojos del poeta.

El aire es más transparente ahora. Los pájaros cantan con más alegría. Las flores tienen

los colores más vivos. Las montañas son más bonitas. El agua es más brillante.

Todo parece en el mundo fuerte, nuevo y espléndido. ¿Es el primer día de la creación?

¿/ nacer / .... ahora el primer hombre?

Los ojos del poeta no se apartan de la dama, ni los ojos de la dama

se apartan del poeta. Una flecha - invisible - / volar /

.... de corazón a corazón.

3. ANSWER the following questions, using the Perfect.
    Example: ¿Qué has hecho durante estos dos años?   *He conocido varios países.*

a. ¿Qué ha sucedido en tu vida?   ....

b. ¿Dónde has trabajado últimamente?   ....

c. ¿Quiénes han visto este documento?   ....

d. ¿Cuánto tiempo has estado en este hospital?   ....

USES

USE 1. The Present Perfect is used to express an action completed up until the moment in which it is being related, and its effects are being felt in the present.

Expressions of time used with the Present Perfect	
• este año / mes / día / verano	*this year / month / day / summer*
• este fin de semana	*this weekend*
• hace poco tiempo	*a short while ago*
• hace un momento	*a moment ago*
• hasta ahora	*until now / so far*
• hoy	*today*
• hoy por la mañana / tarde / noche	*today in the morning / afternoon / evening*
• nunca	*never*
• esta semana / mañana / tarde / noche	*this week / morning / afternoon / evening*

1. CHOOSE the right verb and complete the following sentences.
   Example: Hoy por la tarde nosotros *hemos decidido* separarnos.

escribir   *decidir*   morir   ver   resolver

a. Esta noche él .... su problema.

b. Vosotros nunca .... ninguna cosa extraña.

c. Mi hijo .... en la pared de la sala ¡Qué horror!

d. Hoy .... mi gatito "Mimí"

2. FOLLOW the example:
   Ellos / romper / el vidrio de la mesa   / No hoy /
   ¿Han roto el vidrio de la mesa?   *No, ellos no lo han roto hoy.*

a. Tú / participar / en esa obra teatral   / No, nunca /

....

b. Alguien / escribir / sobre la guerrilla   / Sí, un periodista /

....

c. Cuándo / grabar / su obra de arte / el pintor   / Este mes /

....

d. Pavarotti / cantar / en un concierto   / Sí, este año /

....

3. COMPLETE the sentences, using the verb in the Perfect.
   Example: Hace un momento *(llamar) ha llamado* nuestro hijo.

a. Este fin de semana nosotros (hacer) .... mucho deporte.

b. Hasta ahora yo no lo (ver) .... con ese abrigo.

c. Este tiempo ustedes (poner) .... un alto a la corrupción.

d. Nunca él (decir) .... aquellas palabras.

USE 2. It is used to bring past actions up to date.

• **todavía no**	*not yet*		
• **aún no**	*not yet*	**+**	**Present Perfect**
• **ya**	*already*		

1. ANSWER the following questions in the Perfect tense. Use todavía no, aún no or ya.
   Example: ¿Has estado en Paraguay?   *No, todavía no he estado ahí.*

a. ¿Han viajado ya por este país?   No, ...

b. ¿Han reparado la cámara fotográfica?   Sí, ...

c. ¿Has visto este video con anterioridad?   Sí, ...

d. ¿Has participado en alguna competencia?   No, ...

2. PAIR up expressions in columns A and B, and fill in the blanks with corresponding numerals.

A	B	
a. Él ha muerto hace un año.	1. Todavía no lo ha leído.	a. ....
b. Yo no he visto esta película antes.	2. Todavía me duele su ausencia.	b. ....
c. Tú has puesto los lentes en el velador	3. Ya los encontré.	c. ....
d. Nosotros hemos escrito un poema.	4. Ya me imaginaba el final.	d. ....

USE 3. It is used to express experiences in any activity, work or occupation.

1. CHANGE the text from the Present into the Perfect tense.

El señor Flores tiene experiencia en ser futbolista porque entrena durante varios años,

asiste a cursos de capacitación, participa en muchos partidos y consigue varios trofeos

a nivel internacional.

....

....

....

2. ANSWER the following questions in the Perfect tense.
   Example: ¿En qué ha trabajado los dos últimos años?
                  He trabajado en las embajadas de Japón y Polonia.

a. ¿Cuanto tiempo se ha preparado para la competencia?

....

b. ¿Cuántos trofeos habéis obtenido en los dos últimos años?

....

c. ¿Cuántos años te ha tomado obtener tu profesión?

....

d. ¿Qué te ha parecido mi proyecto?

....

USE 4. The Present Perfect is used in the "journalistic style" at the moment of asking about, or informing on events that have taken place.

1. CHOOSE the appropriate verb and complete the sentence using the Perfect.
   Example: El presidente *ha firmado* el último proyecto de educación.

   hacer   *firmar*   resolver   aceptar   ocasionar

a. El Sr. Fernández .... el último contrato para su empresa.

b. El gerente del Banco .... préstamos con bajo interés.

c. Los autores de este plan .... ponerlo en práctica.

d. Vosotros .... el accidente de hace una semana.

2. PUT words in the right order and form sentences in the Perfect tense.
   Example:
   / la nueva ley / aceptar / el gobierno /   *El gobierno ha aceptado la nueva ley.*

a. / votar / la gente / por un cambio /   ....

b. / deportar / la policía / a muchos emigrantes /   ....

c. /en África / morir de hambre / muchos niños /   ....

d. / viajar / los reyes de España / por Etiopía /   ....

USE 5. It is used to express events not directly witnessed by the narrator.
Such information lacks in reliability as it has been given by third persons.

1. CONJUGATE the verbs between bars in the Perfect.
   Example: Markus / *perder* / su pasaporte.   *Markus ha perdido su pasaporte.*

a. Los republicanos / ganar / las elecciones   ....

b. Mucha gente/ organizar/una manifestación   ....

c. Federico y Luis/ llegar/de Brasil hace poco   ....

d. Por la mañana/el jardinero/podar las flores   ....

2. PUT the words into right order and form sentences in the Perfect.
   Example: /Pablo/ morir/a mí contar que / *Me han contado que Pablo ha muerto.*

a. alguien/ llevarse/ las joyas/confirmar a ti/   ....

b. preparar/el pastel/ellos/comunicar a nosotros   ....

c. el cadáver/encontrar/la policía informar/ ....

d. poner/un internet cerca/ mi vecino/decir que ....

USE 6. It is used to express very recent actions.

This use could be substituted by the grammatical structure *acabar de* + infinitive.
(English: e.g. *I have just finished*)

1. CHANGE the sentences from the present into the Perfect tense.
Example:

Los carteros acaban de pasar por este sector.   ***Los carteros han pasado por este sector.***

a. El instructor acaba de salir de su casa. ....

b. El avión acaba de llegar al aeropuerto. ....

c. Los ciudadanos acaban de votar. ....

d. La fábrica acaba de perder estabilidad. ....

2. CHOOSE the right verb from the list and complete the sentences.
Example: Acabamos de *volver* del cine.

volver   renunciar   hacer   ganar   exhibirse

a. Algunos empleados acaban de .... a su trabajo.

b. Oscar Arias acaba de .... una gestión en favor de la paz.

c. La película Frida Kahlo acaba de .... un premio en el festival.

d. La pieza teatral "Bodas de Sangre" acaba de .... en el teatro de la ciudad.

THE PLUPERFECT

EL PRETÉRITO PLUSCUAMPERFECTO

	HABER in Imperfect	Past Participle
yo	**había**	
tú	**habías**	habl-**ado**
él / ella / usted	**había** +	com-**ido**
nosotros (as)	**habíamos**	viv-**ido**
vosotros (as)	**habíais**	
ellos / ellas / ustedes	**habían**	

Irregular past participles

· decir	➡	dicho	· poner	➡	puesto
· hacer	➡	hecho	· ver	➡	visto
· resolver	➡	resuelto	· escribir	➡	escrito
· abrir	➡	abierto	· romper	➡	roto
· cubrir	➡	cubierto	· volver	➡	vuelto
· morir	➡	muerto	· absolver	➡	absuelto

1. FILL in the blanks with verbs conjugated in the Pluperfect.
   Example: *Se había escuchado* un sonido armonioso.   *(escuchar)*

a. Los sacerdotes .... que el amor al prójimo era necesario.   (decir)

b. La Madre Teresa de Calcuta .... a muchos pobres.   (ayudar)

c. Tú .... mucho en el papel de coronel.   (identificarse)

d. La princesa Diana .... en un accidente de tránsito.   (morir)

2. COMPLETE the sentences below, using the appropriate verb conjugated in the Pluperfect.

Example: Yo supe que la cantante *había sido* pobre en su niñez.

a) ser b) estar c) dar d) venir

a. Los jóvenes creyeron que los adultos ....
a) poner b) hacer c) tener d) equivocarse

b. A los veinte años Nelly ya .... por toda Centroamérica.
a) viajar b) soñar c) salir d) crecer

c. A él le dolía el estómago porque se .... un jugo sin agua hervida.
a) tomar b) comer c) almorzar d) merendar

d. Cuando la policía llegó, los ladrones ya ....
a) dar b) escaparse c) poner d) hacer

3. PUT words in the right order, conjugate the verbs in the Perfect and form sentences.

Example: / atacar / los bandidos / al conductor /
Los bandidos habían atacado al conductor

a. / Yo patinar / nunca / de esta manera /

....

b. / quién / no cometer / errores /

....

c. / analizar / los críticos / la obra de Hemingway /

....

d. / escribir / Milán Kundera / algunas obras de teatro /

....

USES

USES 1. The Pluperfect expresses past actions that had occurred prior to other actions taking place in the past.

1. CONJUGATE the verbs in parentheses in the Pluperfect and complete the sentences.

Example: Nadie me *había contado* que los latinos bailaban bien. *(contar)*

a. La casa .... cuando los bomberos llegaron. (quemarse)

b. Cuando Juan se despertó, su madre ya .... el desayuno. (preparar)

c. Antes de tiempo el banco .... sus puertas. (cerrar)

d. Katerine y su amiga .... a nadar antes de esquiar. (aprender)

2. CHANGE the text from the Present into the Pluperfect tense.

Pedro Peña es un ladrón, pero promete no robar más. Trabaja en la parroquia. Es un campanero y a veces hace de monaguillo.

Un día llega un vicario al pueblo. Pedro se fija enseguida que el vicario tiene un magnífico reloj de oro que le ha regalado un obispo.

Pedro nunca ve un reloj tan bonito como aquél porque en el pueblo todo el mundo tiene relojes normales.

La tentación es demasiado grande para él. Se pasa los días pensando en el reloj, hasta que ocurre lo inevitable: Le roba el reloj al vicario y luego le confiesa su delito.

....

....

....

....

USES 2. It is used in sentences constructed with *cuando*, *antes de* and *porque*.

- Cuando + Preterite + ya + Pluperfect

- Antes de + Infinitive + Pluperfect

- Preterite + porque + Pluperfect
- Imperfect

1. FOLLOW the example:

Ellos / entregar las cartas / antes de venir
¿Habían entregado las cartas antes de venir?
No, no las habían entregado.

a. Vosotros ya comer /cuando / llegar Juan

¿ .... ?

Sí, ...

b. Ustedes / tener miedo / después de la media noche

¿ .... ?

No, ...

c. Tú / ya ver / aquella escena de terror

¿ .... ?

Sí, ...

d. Vosotros / abrir la caja fuerte / sin autorización

¿ .... ?

No, ...

2. CHOOSE the right verb from the list and complete the sentence in the Pluperfect.

morder	estar	*creer*
pasar	visitar	

Example: El ingeniero no ***había creído*** lo que le decían sus colegas.

a. Cuando llegó el doctor, el dolor ....

b. Antes de ganar las elecciones, los candidatos .... la iglesia.

c. El auto se volcó porque el conductor .... muy ebrio.

d. No podía caminar porque los perros lo ....

USE 3. It is used for indirect speech, when direct speech is in the Preterite, Present Perfect or Pluperfect.

Diagram box

Direct Speech

Juan dice: "Bailé mucho"
Juan says: I danced a lot.

¿Qué dijo Juan?
What did Juan say?

"He bailado mucho"
I have danced a lot.

"Había bailado mucho"
I had danced a lot.

Indirect Speech

Juan **dijo** que había bailado mucho.
Juan said that he had danced a lot.

1. ANSWER the questions using the Pluperfect.

    Example: ¿Qué dijo su abuelo?   **(ir a caminar)**
                 Dijo que había ido a caminar.

a. ¿Qué afirmaron los demócratas?   (ganar las elecciones)

....

b. ¿Qué anunció la pareja?   (hacer el bautizo de su bebé)

....

c. ¿Qué opinaron los expertos?   (bajar la inflación)

....

d. ¿Qué imaginó el líder?   (cumplir su función)

....

2. ANSWER the questions in the Pluperfect.

    Example: ¿Dónde habían vivido antes?   **(en el campo)**
                 (decir) *Dijeron que habían vivido en el campo.*

a. ¿Qué había hecho la última Navidad?   (cenar en familia)

   (afirmar) ....,...

b. ¿Por qué había robado?   (no encontrar trabajo)

   (informar) ....

c. ¿Cuándo habían regresado de Venezuela?   (hace un mes)

   (asegurar) ....

d. ¿Cómo habían encontrado tu dirección?   (en la guía telefónica)

   (confirmar) ....

3. FILL IN the blanks, using the correct past tense forms of the verbs in parentheses.

EL SEÑOR FERNANDEZ..

El señor Fernández (salir) .... aquel día de su oficina a las cinco de la tarde.

Normalmente (terminar) .... su trabajo a las seis, pero aquel día no (sentirse)

.... bien y (pensar) .... que si (salir) .... un

poco antes, no (ir) .... a tener problemas con el tráfico, que casi siempre

(encontrar) .... a las seis de la tarde. Rápidamente (dirigirse) ....

a la parada del bus, (tener) .... ganas de encontrar un asiento libre junto a la

ventana. (Ponerse) .... a leer el periódico y a esperar la salida del bus.

Poco tiempo antes de salir el bus, un desconocido (entrar) .... y (sentarse)

.... junto al señor Fernández. El recién llegado (tener) ....

aspecto extraño, (llevar) .... un "Panamá hat" y (parecer) ....

muy interesado en lo que el señor Fernández (leer) ....

Poco después de que el bus (ponerse) .... en marcha, el desconocido le (pre-

guntar) .... al señor Fernández:

- Oiga señor, ¿Cree usted en los fantasmas?

- ¿(Encontrar) .... alguna vez alguno de ellos?

El señor Fernández le (decir) .... que nunca (ver) .... un fan-

tasma, y él también le (preguntar) .... lo mismo al desconocido.

El desconocido (contestar) .... muy seguro de sí mismo:

- ! Claro que sí ! -

Y (desaparecer) .... repentinamente.

4. FILL in the table with the infinitive of each verb, and the Preterite, Imperfect, Perfect and Pluperfect forms in the same person as already indicated.

	Infinitive	Preterite	Imperfect	Perfect	Pluperfect
a.		me sentí			
b.			tenías		
c.				han ido	
d.					había puesto
e.	venir (yo)				
f.		volviste			
g.			estábamos		
h.				han sabido	
i.					habías visto
j.	hacer (yo)				
k.		quisiste			
l.			traducíais		
m.				han dormido	
n.					había sido (él)

THE NEUTRAL ARTICLE "LO"

EL ARTICULO NEUTRO "LO"

Uses of "LO"		
1. Lo + adjective	Example:	Tiene que describir **lo hermoso** de la vida. *He has to describe the beauty of life.*
2. Lo + comparative	Example:	**Lo peor** es su forma de hablar. *The worst thing is his way of speaking.*
3. Lo + adjective + que + verb	Example:	Vais a ver **lo bonita que es** la casa nueva. *You are going to see how pretty the new house is*
4. Lo + adverb + que + verb	Example:	Es increíble **lo bien que toca** el piano. *It's incredible how well he plays the piano.*
5. Lo + posessive pronoun	Example:	**Lo mío** es fácil, **lo suyo** es complicado. *Mine is easy, yours is complicated.*
6. Lo + de	Example:	No entiendo **lo de** Laura. *I do not understand all about Laura.*
7. Lo + que + verb	Example:	Es sorprendente **lo que hace** por ti. *It is surprising what he does for you.*
8. De lo más + adjective	Example:	La fiesta fue **de lo más divertida**. *The party was one of the most fun.*

1. **ANSWER the questions, using the neuter article *lo*.**
    Example: ¿Qué es lo bueno del amor?   *(amar y ser amado)*
       Lo bueno del amor es amar y ser amado.

a. ¿Qué es lo que te sorprende de tu carácter?   (mi paciencia)

....

b. ¿Cómo lo pasaron en la reunión de ayer?   (estupendamente)

....

c. ¿Crees que sólo lo tuyo tiene valor?   (no)

....

d. ¿Por qué piensas que lo de Juan fue increíble?   (tenía riesgo)

....

2. FOLLOW the example.
Lo que dijiste ayer fue una broma ¿verdad?
Sí, *lo de ayer fue una broma.*

a. Fue increíble lo que hizo en ese momento por rescatarlos ¿no es así?

Sí, ...

b. Lo mejor de la competencia es el entusiasmo ¿verdad?

Sí, ...

c. Lo que ocurrió en el Medio Oriente fue un desastre ¿no lo creen?

Sí, ...

d. La cita fue de lo más divertida ¿o no?

Sí, ...

e. Le pareció mal lo del sacerdote ¿no es así?

Sí, ...

f. Lo del periódico no tiene importancia ¿o sí?

Sí, ...

g. Lo que hicieron el sábado fue vergonzoso ¿no es así?

Sí, ...

h. Lo que pasó con el sobrino de Santiago es muy triste ¿verdad?

Sí, ...

3. COMPLETE the sentences using: agradable / difícil / bueno / justo / peor.
Example: Lo *agradable* de Juan es su carácter.

a. Lo .... de la situación fue que le encontraron en el acto.

b. Lo .... será explicarle de tal forma que no se asuste.

c. Lo .... era que el producto se vendía en cualquier lugar.

d. Lo .... habría sido darle una recompensa por arriesgar su vida.

CHAPTER

6

THE FUTURE
AND THE CONDITIONAL TENSE   187 - 228

THE FUTURE

EL FUTURO

Infinitive		endings
yo		**-é**
tú		**-ás**
él / ella / usted	habl**ar**	**-á**
nosotros (as)	com**er** +	**-emos**
vosotros (as)	viv**ir**	**-éis**
ellos / ellas / ustedes		**-án**

Irregular verbs			
· **poder** ➡ podré		· **saber** ➡ sabré	
· **salir** ➡ saldré		· **caber** ➡ cabré	
· **valer** ➡ valdré		· **haber** ➡ habré	
· **poner** ➡ pondré		· **decir** ➡ diré	
· **venir** ➡ vendré		· **hacer** ➡ haré	
· **tener** ➡ tendré		· **querer** ➡ querré	

1. CONJUGATE the following verbs in the Future.

	a. olvidar	b. creer	c. preferir	d. recibir
Yo	....	....	....
Tú	....	....	....
Él	....	....	....
Vosotros	....	....	....

2. CONJUGATE the verbs in parentheses in the Future.
   Example: ¿Dónde *vivirás* el próximo año.   *(vivir)*

a. En cincuenta años yo no ..... *estaré* .... más en esta ciudad.   (estar)

b. Esta ropa ... *se desteñirá* ... si caminas en la lluvia.   (desteñirse)

c. Los políticos siempre ... *ofrecerán* ...... cosas imposibles.   (ofrecer)

d. Yo ... *ahorraré* ..... mis energías para el concurso.   (ahorrar)

3. ANSWER the following questions using the Future tense.
   Example: ¿Quiénes vendrán a resolver este asunto?   *(los militares)*
                 Los militares vendrán a resolver este asunto.

a. ¿Por qué saldrá Elena a esta hora de su oficina?   (estará cansada)

   Porque estará cansada

b. ¿En los próximos años habrá menos contaminación?   (No)

   No, no habrá menos contaminación en los próximos años.

c. ¿Cuándo podrán firmar el contrato los jugadores?   (la próxima semana)

   Los jugadores podrán firmar el contrato la próxima semana.

d. ¿Dónde se hará el "V Congreso de Médicos"?   (en el Hospital General)

   se hará el "V Congreso de Médicos" en el Hospital General.

4. IMAGINE the situation depicted below and write down the dialogue using the Future.

5. CHOOSE the right verb from the list and complete the sentences in the Future.
   Example: Mañana *me sentiré* mucho mejor que hoy.

poder   *sentirse*   defender   pasar   heredar

a. El señor Pérez .... muy pronto la hacienda de su tío.

b. Todos los soldados .... la patria con su propia vida.

c. No sé que .... en diez años con las telecomunicaciones.

d. En la tarde tú .... ver el arco iris.

OTHER WAYS TO EXPRESS FUTURE

CASE 1. Immediate Future expresses actions which are about to take place immediately after being announced.

> **Immediate Future**
>
> Ir a + infinitive

1. COMPLETE the following sentences using Immediate Future.
   Example: Esta noche *voy a mirar* las estrellas en el cielo.   *(mirar)*

a. En Perú usted .... las ruinas de Machu Picchu.   (visitar)

b. Los astronautas .... la luna.   (explorar)

c. Vosotros .... productos de buena calidad.   (exportar)

d. Ellos .... una corrida de toros.   (ver)

2. CHANGE the sentences from the Present into Immediate Future.
   Example: Ella habla con el director.   *Ella va a hablar con el director.*

a. El árbitro conduce el partido de fútbol.   ....

b. Usted trabaja en un albergue de niños.   ....

c. El carpintero hace muebles de pino.   ....

d. La bailarina presenta un espectáculo.   ....

Other ways to express Future

CASE 2. With a conjugated verb and an infinitive it is possible to express wish or necessity, to be acted on in a current context.

verb + infinitive

1. COMPLETE the sentences using verb + infinitive, with the verbs in parentheses.
   Example: Todos *deben trabajar* mucho para vivir bien.   *(deber / trabajar)*

a. El fotógrafo no .... el concurso.   (poder / ganar)

b. Ellos no .... esta noche sin Antonio.   (querer / salir)

c. Su hermana .... un médico especialista.   (esperar / encontrar)

d. Los animales .... a sus cachorros.   (deber / proteger)

2. CHOOSE the right verb and complete the sentence.
   Example: *Necesitamos mejorar* nuestra calidad de vida.

   necesitar   pensar   preferir   querer   deber

a. El representante .... hablar de la reforma agraria.

b. Ellas .... editar su próxima novela.

c. Ningún empresario .... perder su inversión.

d. Tus hijos .... respetarte por lo que eres.

CASE 3. With verbs expressing obligation.

Deber			suggestion / obligation
Hay que	+	Infinitive	necessity / general obligation
Tener que			individual obligation

1. CONJUGATE the verbs in parentheses in the Present tense and complete the texts.

a. Actualmente se han puesto de moda las campañas que informan a la gente que (haber

que) .... proteger la naturaleza.

Se calcula que en la última década han sido quemados 36.000 kilómetros cuadrados

de bosques y selvas. Por eso, todas las personas (deber) .... reciclar papel,

cartón o periódico que (tener) .... que ser reutilizados y así evitar la tala

de bosques.

b. En los próximos años, muchos (tener) .... que tomar unas vacaciones

porque (deber) .... evitar el estrés que está causando problemas médicos.

No (haber) .... que trabajar sin descanso.

c. El violinista (deber) .... cambiar de violín, porque si no lo hace, el público

(tener) .... que salir del auditorio para no escucharlo más.

2. ANSWER the questions. Choose one of the two possible answers.

Example: ¿Qué debe hacer una modelo en la pasarela?   *(tener cuidado / seguridad)*
  Debe tener seguridad.

a. ¿En la vida, qué hay que conseguir?   (éxito/ dinero)

....

b. ¿Qué debe hacer un ciclista durante el recorrido?   (tomar agua / practicar)

....

c. ¿Quién tiene que trabajar por la salud social?   (los médicos / los voluntarios)

....

d. ¿Qué tiene usted que hacer para ser importante?   (obtener fama / dinero)

....

CASE 4. With adverbial time phrases, plus a verb conjugated in the present, to indicate the occurence of an action at a specified moment in the future.

Adverbs of time to express future		
• mañana	tomorrow	
• pronto	soon	
• por la tarde	in the afternoon	
• después	afterwards	
• el próximo mes / año	next month / year	**+ Present**
• la próxima semana	next week	
• el año / mes que viene	in the coming year / month	
• más tarde	later	
• probablemente	probably	
• posiblemente	possibly	

1. ANSWER the questions, using adverbs of time.

Example: ¿Cuándo vienen los delegados internacionales?   *(en dos días)*
Los delegados internacionales vienen en dos días.

a. ¿Cuándo tomáis un descanso?   (por la tarde)

....

b. ¿Cuándo llegan los expedicionarios?   (mañana)

....

c. ¿Cuándo probamos esta mermelada?   (pronto)

....

d. ¿Cuándo entrenan los deportistas?   (después)

....

2. IMAGINE the situation depicted below and write down the dialogue. Use adverbs of time and the Present tense.

USES

USE 1. The Future is used to express actions that will happen at an indefinite time in the future. *(Often these actions remain no more than proposals or plans)*

1. CONJUGATE the verbs in parentheses in the Future.

VIAJE A ESPAÑA...

María Cristina y yo (ir) .... a España el próximo verano. Primero nosotros

(viajar) .... al aeropuerto de Madrid, donde (encontrar) ....

a otro grupo de estudiantes y todos juntos (tomar) .... un avión hasta

Granada. Todos (vivir) .... en una residencia de estudiantes.

María Cristina y yo (almorzar) .... en la cafetería de la residencia al

mediodía, por la noche (ir) .... a los bares para conversar con los

españoles y comer las famosas "tapas".

Yo (visitar) .... "La Alhambra" y María Cristina (querer) ....

ver una corrida de toros.

Los otros estudiantes (visitar) .... más lugares de interés como museos,

monumentos, palacios, iglesias, etc.

Nosotros (regresar) .... de este viaje luego de un mes.

2. CONJUGATE the verb in the Future tense, according to the indicated subject.
   Example: (añadir)   Tú *añadirás* sal a la sopa.   Ella *añadirá* pimienta.

a. (elegir)   Los católicos eligen una esposa. Los musulmanes .... más.

b. (dar)   Nosotros damos la propina. Vosotros no .... propina.

c. (ir)   Ustedes van al gimnasio. Yo .... al parque de diversiones.

d. (poner)   Luisa pone las velas en el pastel. Tú .... el vino junto al pastel.

USE2. Used in an imperative sense to give orders, suggestions or advice.

1. FILL in the blanks with correct Future forms.

Para trabajar en esa empresa tú:

deber   a) .... escuchar lo que tu jefe dice.

llegar   b) .... cinco minutos antes de las nueve.

participar   c) .... en los eventos organizados por la empresa.

trabajar   d) .... ocho horas diarias y horas extras exigidas.

2. CONJUGATE the verbs in parentheses in the Future.
   Example: Para mantener la dieta, *tendrás* que comer singrasa.   *(tener)*

a. No .... con tarjeta de crédito.   (pagar)

b. Tú no .... la mujer de tu prójimo, manda la ley de Dios.   (desear)

c. Para vivir aquí vosotros .... una renta mensual. (pagar)

d. No .... ustedes dentro de las oficinas. (fumar)

USE 3. Used to make assertions about present or future actions.

1. FOLLOW the example.

El auditorio está lleno.   (Haber quinientas personas)
                                        ¿Habrá unas quinientas personas?

a. El edificio está silencioso.   (Estar durmiendo todos)

....

b. ¿Cuánto costará el yate?   (Costar cien mil dólares)

....

c. La moto va velozmente.   (Ir a 150 Km. / hora)

....

d. La fiesta es el sábado.   (Venir treinta personas)

....

2. JOIN corresponding expressions with lines.

a. Todavía es temprano.   1. ¿Estarán felices?

b. Va a comprar un vestido.   2. ¿Estaremos a treinta grados?

c. Ellos se ríen fuertemente.   *3. ¿Serán las siete?*

d. Hace bastante calor.   4. ¿Le costará unos cincuenta dólares?

e. Aplauden al expositor.   5. ¿La exposición será buena?

USE 4. It is used to speculate about actions which may already be happening while the person is speaking. *(They are generally expessed as questions)*

1. FOLLOW the example:

/ frío / tener / ellas   *¿Ellas tendrán frío?*

a. tomar / las enfermeras / la decisión   ....

b. estar pensando / comprar una casa / ellos   ....

c. la vendedora / pensar / cambiar   ....

d. haber / un accidente / en la esquina   ....

2. WRITE down answers to the following questions.

    Example: No está mi madre en casa. ¿Dónde estará?   *(en el mercado)*
                ¿*Estará* en el mercado?

a. Hay muchas personas reunidas. ¿Qué pasará?   (haber una protesta)

....

b. Todos se ríen. ¿Cómo estarán pasando?   (bien)

....

c. Voy a salir. ¿Cómo estará el clima?   (muy frío)

....

d. Se viste elegantemente. ¿A dónde irá?   (a una reunión)

....

THE FUTURE PERFECT
EL FUTURO PERFECTO

HABER in Future			Past Participle
yo	**habré**		
tú	**habrás**		habl -**ado**
él / ella / usted	**habrá**	+	com -**ido**
nosotros (as)	**habremos**		viv -**ido**
vosotros (as)	**habréis**		
ellos / ellas / ustedes	**habrán**		

1. CONJUGATE the verbs below in the Future Perfect.

	a. cambiar	b. ser	c. descubrir	d. irse
Tú	....	....	....	....
Nosotros (as)	....	....	....	....
Vosotros (as)	....	....	....	....
Ellos	....	....	....	....

2. CONJUGATE the verbs in parentheses in Future Perfect.
   Example: En diez años *se habrán acabado* las guerras del mundo   *(acabarse)*

a. ¿Quién .... la ventana?   (abrir)

b. En setenta años yo ya ....   (jubilarse)

c. El sábado él .... un disfraz para la fiesta.   (ponerse)

d. En pocos años más .... la capa de ozono.   (destruirse)

3.   IMAGINE the situation depicted below and write down the dialogue. Use verbs in the Future Perfect.

4. CHOOSE the most appropriate verb and complete the sentence in the Future Perfect.

Example: Para mañana yo *habré terminado* de leer este libro.

a) decir   b) poder   ***c) terminar***   d) hacer

a. ¿Se .... ya del delito?

a) informar   b) leer   c) entender   d) abrir

b. En dos meses los pintores .... todo el hotel.

a) pintar   b) dar   c) poner   d) sentir

c. ¿Cuántos huevos .... la gallina?

a) preferir   b) cambiar   c) merendar   d) poner

d. ¿Quiénes .... las raquetas de tenis?

a) salir   b) ir   c) usar   d) poder

USES

USE 1. The Future perfect expresses speculation, supposition or conjecture about actions which have already taken place.

1. FOLLOW the example:

tú / acudir / a la cita / antes de las seis.   *¿Habrás acudido a la cita antes de las seis?*

a. vosotros / bromear / de las personas gordas.   ....

b. ellos / hacer / servicio voluntario.   ....

c. usted / completar / los requisitos del viaje.   ....

d. tú / dejar / de usar sombrero.   ....

2. CONJUGATE the verbs between bars in the Future Perfect.
   Example: Ha desobedecido a su padre. ¿Por qué / hacerlo /?
   ¿Por qué lo habrá hecho?

a. Ha llorado. ¿/ Fallecer / algún familiar?

   ....

b. Devolviste el pan. ¿No / gustarte /?

   ....

c. Estáis contentos. ¿/ Disfrutar / el crucero?

   ....

USE 2. Expresses contradiction/disbilief about results of actions which have already occurred.

1. COMPLETE the sentences using the correct Future Perfect forms of the verbs.
   Example: La *habrá amado,* pero no le demostró.   *(amar)*

a. .... ejercicio, pero no bajó de peso.   (hacer)

b. Me .... una canción, pero no les escuché.   (dedicar)

c. Vosotros .... la habitación, pero no lo noté.   (decorar)

d. Él .... esto con cuidado, pero le falta algo.   (organizar)

2. FOLLOW the example.
Él dar su opinión / yo ignorarla.
Él habrá dado su opinión, pero yo la ignoré.

a. Ella besarme / yo no sentir nada

....

b. Ellos equivocarse / tú no darse cuenta

....

c. Tú evitar el estrés / nosotros verte mal

....

d. Lucy escuchar ruidos extraños / ella no tener miedo

....

THE CONDITIONAL
EL CONDICIONAL SIMPLE

Infinitive		endings
yo		**-ía**
tú		**-ías**
él / ella / usted	hablar	**-ía**
nosotros (as)	comer +	**-íamos**
vosotros (as)	vivir	**-íais**
ellos / ellas / ustedes		**-ían**

Irregular verbs			
· **poder** ➡ podría		· **saber** ➡ sabría	
· **salir** ➡ saldría		· **caber** ➡ cabría	
· **valer** ➡ valdría		· **haber** ➡ habría	
· **poner** ➡ pondría		· **decir** ➡ diría	
· **venir** ➡ vendría		· **hacer** ➡ haría	
· **tener** ➡ tendría		· **querer** ➡ querría	

Exception of use:
yo querría ➡ yo quisiera

1. CONJUGATE the following verbs in the Conditional.

	a. dar	b. leer	c. servir	d. enviar
Yo	....	....	....	....
Tú	....	....	....	....
Ana y Laura	....	....	....	....
Tú y yo	....	....	....	....

2. CONJUGATE the verbs in parentheses in the Conditional and fill in the blanks.
Example: El presidente *asistiría* a la reunión. *(asistir)*

a. Nadie pensó que el negocio .... tan pronto. (fracasar)

b. Tus amigas .... frente a todos, pero son tímidas. (danzar)

c. ¿ .... nosotros ayudarte en todo lo posible? (poder)

d. El veterinario lo .... pero el animal está muy grave. (curar)

3. COMPLETE the questions using the Conditional.
   Example: Si tuvieras dinero, *¿tú podrías ir a Roma?*   *(tú poder ir a Roma)*

a. Si lloviera, ...   (ellas ponerse las botas)

b. Si pudiéramos ,...   (decirlo)

c. Si hubiera problemas, ...   (todos llamar a la policía)

d. Si fuera peligroso, ...   (yo tener cuidado)

USES

USE 1. The Conditional tense expresses the possibility of an action in the future.
Usually the action depends on a condition.

1. COMPLETE the sentences. Use conditional sentences that express future possibility.
   Example: De ser mentira lo que dices, *te castigaría.*

a. El próximo año, ...

b. De haber un terremoto, ...

c. La cena de aniversario, ...

d. De ladrar el perro, ...

2. JOIN corresponding sentences with lines.

a. De administrarla mejor,   1. se realizaría el sábado.

b. En caso de tener alternativas laborales,   2. jugaría al tenis.

c. De tener las raquetas profesionales,   3. la empresa tendría más ganancia.

d. La reunión de mis colegas,   **4. compraría la chaqueta.**

e. De ser más barata,   5. las analizaría.

USE 2. It is used to express respect, kindness or courtesy.

1. COMPLETE the sentences, repeating the verb in the Conditional, in order to express kindness.
Example: Él no puede recogerme en su auto. *¿Podrías recogerme tú?*

a. Juan no encuentra sus gafas por aquí. ¿ .... tú por allá?

b. Yo no tengo tiempo para ti. ¿Tú .... tiempo para mí?

c. Él no quiere bailar vals conmigo. ¿ .... usted conmigo?

d. Tú no quieres perdonarlo. ¿ .... vosotros?

2. FORM sentences expressing kindness, in accordance with the presented situations.
Example:
Necesito hacer mi contabilidad, pero no sé cómo.   *¿Podrías ayudarme, por favor?*

a. Debo ir a Egipto, pero no quiero ir solo.   ....

b. No sabes el precio, pero quieres saber. ....

c. Buscamos al propietario, pero no está. ....

d. Deseo saber cuántos habitantes hay aquí. ....

USE 3. The Conditional is used to expresses advice, suggestions or aspirations.

1. COMPLETE the sentences, by repeating the verb in the Conditional.
Example: Yo debo maquillarme un poco, *pero tú deberías* maquillarte menos.

a. Usted tiene que hacer dieta siempre, pero ella no................................ que hacerlo.

b. Ellos recomiendan vino blanco, pero yo .... vino tinto.

c. Nos asusta el ataque, pero les .... más la explosión.

d. Yo le sugiero tomar té, pero él me .... tomar café.

2. CONJUGATE the verbs in this dialogue in the Conditional tense.

Amelia: ¿Cuánto tiempo trabajas en esta empresa?

Carlos: Más de diez años.

Amelia: Pero (deber) .... ganar bien, puesto que esta empresa es interna

cional y tiene sucursales en todo el mundo.

Carlos: En verdad, lo que (tener) .... que hacer es buscar otro empleo, porque no gano bien.

Amelia: Yo te (recomendar) .... presentar tu currículum en varios lugares,

para encontrar mejores ofertas, además de esto, (poder) .... hablar

personalmente con gerentes de otas empresas y demostrarles tu experiencia.

Carlos: ¡Que buenas ideas!, pero creo que si tu me ayudas yo (poder) ....

lograrlo.

USE 4. It expresses speculation about actions which happened in the past.

1. FOLLOW the example:
/ bailar / la danza hindú / ellas   *¿Ellas bailarían la danza hindú?*

a. morir / los marineros / en el accidente   ....

b. caer / los precios de las exportaciones   ....

c. la secretaria / ser / una aficionada al buceo   ....

d. muchos / estar / equivocados   ....

2. WRITE down answers to the following questions.
Example: Ella se fue hace un mes, ¿Cuándo se iría él?   *(enero)*
               ¿Se iría en enero?

a. Me gustó la orquídea. ¿Cuál le gustaría a Lucía?   *(el girasol)*

....

b. Denis abonó la higuera. ¿Qué abonaría Roberto?   (el manzano)

....

c. Tu madre era alegre. ¿Cómo sería tu abuela?   (entusiasta)

....

d. Ahora trabaja aquí. ¿Dónde trabajaría antes?   (Santiago)

....

USE 5. The Conditional expresses actions which are impossible.

In this case, it is useful to explain why an action cannot take place.

1. CONJUGATE the verbs in parenthesis in the Conditional.

   Example: (Lanzarse)   *Se lanzaría* del paracaídas, pero tiene miedo.

a. Me (complacer) .... ver a Mozart, pero ya está muerto.

b. (imitar) .... nosotros a Mr. Bean, pero es difícil.

c. (formar) .... un gremio, pero están en desacuerdo.

d. (patinar) .... , pero no tienes equilibrio.

2. CHOOSE the appropriate expression from the list and complete the sentence.
   Example: *Yo sería un buen abogado,* pero no lo decidí.

sería un buen abogado
comentaría el partido
soñarías con fantasmas
comprarían un traje
actuarías frente a todos

a. .... , pero no tienen recursos.

b. .... , pero no tiene buena voz.

c. .... , pero tienes mucha vergüenza.

d. .... , pero no existen en la realidad.

USE 6. It is used for indirect speech, when direct speech is in the Future or Conditional tenses.

Diagram box		

Direct Speech

Indirect Speech

| **Juan dice:** Yo **Iré** al cine. | ¿Qué dijo Juan? | **Juan dijo** que iría al cine. |
| *Juan says* *I'll go to the cinema* | What did Juan say? | *Juan said he would go to the cinema* |

| **Juan dice:** Yo **Iría** al cine | | **Juan dijo** que iría al cine. |
| *Juan says* *I would go to the cinema.* | | *Juan said that he would go to the cinema.* |

The Conditional - Uses

1. CHANGE the following sentences from direct into indirect speech.

Example: Los niños: No nos pondremos esos pantalones. (decir)
Los niños dijeron que no se pondrían esos pantalones.

a. Mónica: Los acompañaré al teatro. (informar)

....

b. Él: Esta noche pasearé por la plaza. (indicar)

....

c. Yo: Iré a la fiesta de octubre en Alemania. (advertir)

....

d. Los diseñadores: Crearemos nuevos diseños. (anunciar)

....

2. ANSWER the questions using indirect speech.

Example: ¿Qué opinó el ingeniero? *(necesitarse más cemento)*
El ingeniero opinó que se necesitaría más cemento.

a. ¿Qué aseguró el periodista? (dar información confidencial)

....

b. ¿Qué imaginé yo? (extinguirse más animales)

....

c. ¿Qué dijo el panadero? (la masa estar dura)

....

3. FOLLOW the example:
Patricia dice que tomará un helado.
Patricia dijo que tomaría un helado.

a. Los cocineros indican que cambiarán los ingredientes.

....

b. Mi prima anuncia que trabajará hasta las once.

....

c. Yo supongo que comprarán los zapatos italianos.

....

d. Usted dice que preguntará la dirección a un policía.

....

USE 7. It is used to approximate actions that have already taken place.

1. COMPLETE the questions using verbs in the Conditional.
Example: Ayer me llamó alguien y no dejó su nombre. *(ser)*   *¿Quién sería?*

a. El cardiólogo examinó al paciente.   (tener)   ¿Qué .... ?

b. La ambulancia pasó rápidamente?   (haber)   ¿ .... un accidente?

c. Ana tenía dolor de cabeza.   (estar)   ¿ .... enferma?

d. ¡No encuentro mis documentos!   (poner)   ¿Dónde los .... ?

2. READ the text and then answer the questions. Give your opinion.

Tantos años casado ... y con el mismo !

Amelia y Enrique llevan casados diez años. Para ellos no ha sido fácil sobrellevar los problemas, aunque en estos últimos años ambos han notado que su amor se ha ido perdiendo.

Al parecer Enrique ha encontrado un amor pasajero que ha llenado las espectativas afectivas que Amelia había perdido y Amelia refugiada en la preocupación de los quehaceres de la casa y la atención de sus hijos, ha dejado a un lado el amor de Enrique.

a. ¿Se amarían realmente al tomar la decisión de casarse?

....

b. ¿Sería mejor para ellos, separarse?

....

The Conditional - Uses

THE CONDITIONAL PERFECT

EL CONDICIONAL PERFECTO

	HABER in Conditional	Past Participle
yo	**habría**	
tú	**habrías**	habl-**ado**
él / ella / usted	**habría** +	com-**ido**
nosotros (as)	**habríamos**	viv-**ido**
vosotros (as)	**habríais**	
ellos / ellas / ustedes	**habrían**	

1. ANSWER the questions in the Conditional Perfect.

Example: ¿Qué habrían cosechado los agricultores?
   Los agricultores habrían cosechado zanahorias.

a. ¿Cuánto habría ganado la empresa este año?

....

b. ¿Quién habría saboreado aquel plato típico?

....

c. ¿Quién le habría dado un consejo?

....

d. ¿Dónde habría sido la última reunión de trabajo?

....

2. CONJUGATE the verbs in parentheses in the Conditional Perfect.

    Example: Nosotros *no habríamos vuelto* hasta el amanecer.   *(volver)*

a. ¿A dónde .... los niños tan temprano?   (ir)

b. Bolívar .... la Gran Colombia, pero no tuvo apoyo.   (hacer)

c. ¿Cristóbal Colón .... el Nuevo Mundo primero?   (descubrir)

d. Vosotros .... los aeróbicos varias veces.   (repetir)

3. COMPLETE the sentence with the most appropriate verb in the Conditional Perfect.

    Example: Ella te *habría sugerido* tener paciencia.
                 a) hacer   b) sugerir   c) ir   d) cobrar

a. Mis amigos y yo .... al concierto de música flamenca.
    a) ir   b) subir   c) comprar   d) leer

b. La secretaria .... el informe de la reunión para el jefe.
    a) romper   b) poner   c) hacer   d) practicar

c. ¿Dónde .... ellos a las nueve y media de la mañana?
    a) preferir   b) quedarse   c) estar   d) morir

d. De tener tiempo, ¿Usted ....?
    a) quedarse   b) estar   c) salir   d) dar

USES

USE 1. The conditional perfect expresses the possibility of an action which could have taken place in the past.

1. COMPLETE the sentence using the correct form of the verb in the Conditional Perfect.
   Example: *Habrían subido* las importaciones, pero no convenía.   *(subir)*

a. No te golpeó, pero lo .... en caso necesario.   (hacer)

b. El niño .... , pero había mucho ruido.   (dormirse)

c. Las campanas .... , pero el sacerdote estuvo dormido.   (sonar)

d. Los pintores .... la exposición, pero no tuvieron obras.   (realizar)

2. CONJUGATE the verbs between bars in the Conditional Perfect.
   Example: No pude ir a la fiesta, pero / gustarme / ir
               No pude ir a la fiesta, pero *me habría gustado ir.*

a. Sola no me divertí, pero contigo / divertirme / más.

   ....

b. No la conocimos, pero / encantarnos / conocerla.

   ....

c. No necesitamos su ayuda, pero / él dárnosla / de todos modos.

   ....

d. Tú no tocaste la guitarra, pero / tocarla / él en tu lugar.

   ....

USE 2. Expresses speculation about actions which did take place in the past.

1. FOLLOW the example:
Yo la puse aquí. (dónde / tú)
¿Dónde la habrías puesto tú?

a. Nosotros terminamos el contrato ayer. (cuándo / vosotros)

....

b. Él aceptó los cien dólares. (cuánto / usted)

....

c. La reunión empezó temprano. (cuándo / la conferencia)

....

d. Tú lo preparaste con brandy. (cómo / yo)

....

2. CONJUGATE the verbs between bars in the Conditional Perfect.
Example: No sabía mi dirección. ¿Quién le / dar / mi dirección?
             ¿Quién le *habría dado* mi dirección.

a. Se ha reído tanto ¿ / escuchar / una broma?

....

b. Los asaltaron ¿No / tener / cuidado?

....

c. Explotó una bomba en Bogotá ¿ / atacar / la guerrilla?

....

d. No me gustó el jugo de coco. ¿ le / faltar / azúcar?

....

USE 3. It is used to approximate actions that took place.

1. REPLY to the questions in the Conditional Perfect.
   Example: En el cine había cien personas y ¿En el banco?
                  (20 personas)   *En el banco habrían habido unas veinte personas.*

a. El desempleo aquí era del 30% y ¿en tu país?

   (del 5%)   ....

b. El cartero entregó ochenta cartas en un día y ¿el mensajero?

   (menos)   ....

c. Las noticias duraron una hora y ¿la película?

   (dos horas)   ....

d. Las raquetas costaron doscientos dólares y ¿la red de juego?

   (cincuenta dólares)   ....

2. COMPLETE the sentences by repeating the verb in the Conditional Perfect.
   Example: Él escribió dos historias, pero usted *habría escrito* cinco.

a. El taxi fue a 80 Km. por hora, pero la moto .... a cien Km. por hora.

b. Él tenía cinco camisas, pero vosotros .... diez pares de zapatos.

c. Elisa compró cien gramos de azúcar, pero tú .... cincuenta gramos.

d. La niña gorda pesaba treinta kilos, pero la flaca .... unos veinte kilos.

USE 4. Expresses courtesy or modesty when informing about actions which could not be carried out.

1. CONJUGATE the verbs in parenthesis in the Conditional Perfect.
   Example: Yo en su lugar, *(considerar) habría considerado* su invitación.

a. Aquel día (ser) .... el mejor de todos.

b. Nos (agradar) .... mucho aclarar sus dudas.

c. Les (alegrar) .... verte después de tanto tiempo.

d. Me (complacer) .... acompañarte al espectáculo.

2. COMPLETE the dialogue in the Conditional Perfect.

¿Te habría gustado ser famoso?

The Conditional Perfect - Uses

PREPOSITIONS
LAS PREPOSICIONES

• a	to		• hacia	towards
• ante	in front of		• hasta	until
• bajo	under		• sin	without
• con	with		• sobre	on / about
• contra	against		• según	according to
• de	of / from		• tras	after / behing
• en	in /at /on		• por	for / through
• entre	between		• para	for / in order to

1. CHOOSE between *de* and *desde* to complete each sentence.

   de / desde

a. .... aquí se divisa la inmensidad del océano.

b. Es muy peligroso salir en la noche, ... hoy en adelante permanecerán en casa.

c. No he podido hablar con vosotros .... que estoy aquí.

d. Ellos proceden .... familia noble.

2. FILL in the blanks with prepositions: a / para / con / sin / en.
   Example: Expresan sus ideas *con* facilidad.

a. .... partir de mañana empezaré a vivir de mejor manera.

b. El problema está .... que no tienes paciencia ni contigo mismo.

c. .... mi esposo no puedo decidir lo que deberíamos hacer.

d. ¿Preferís dejar este tema .... discutirlo mañana?

3. CHOOSE the right preposition and complete the sentence.

Example: Están hablando *de* la economía mundial.

a) hasta   b) sobre   c) con   ***d) de***

a. Se lo quería vender .... cien dólares, pero no los tenía en ese momento.
a) desde   b) a   c) bajo   d) contra

b. ¿Estáis en .... , o a favor del nuevo decreto?
a) según   b) ante   c) contra   d) tras

c. Tres días .... la semana vamos a jugar tenis con nuestros amigos.
a) hasta   b) a   c) de   d) con

d. El Ebro desemboca .... el mar Mediterráneo.
a) en   b) bajo   c) sin   d) sobre

4. FILL in the blanks with prepositions and complete the text:

Mario Benedetti *(Escritor Latinoamericano)*

Nació el 14 .... septiembre .... 1920 .... Paso de los Toros,

.... la República Oriental .... Uruguay y residió casi continuamente en Buenos

Aires. .... 1945, ... vuelta .... Montevideo, integró la redacción

.... semanario "Marcha". .... 1949 publicó "Esta Mañana", su primer libro

.... cuentos y, un año más tarde, poemas. .... 1953 apareció su primera novela,

"Quién de Nosotros". .... el libro "La Tregua" que apareció 1960,

Benedetti adquirió trascendencia internacional. La novela tuvo más .... un centenar

.... ediciones, fue traducida .... diecinueve idiomas. 1973

.... raíz .... golpe militar, debió abandonar su país .... razones políticas.

DIFFERENCES BETWEEN POR AND PARA

DIFERENCIAS ENTRE POR Y PARA

PARA + INFINITIVE **objective / purpose / aim** • Estudio para comunicarme. *I study in order to communicate.*	**POR + INFINITIVE** **cause / reason / motive** • Estudio por gusto. *I study because I like it.*
PARA + PERSONAL PRONOUN **destination (people)** • Esta carta es para mí. *This letter is for me.*	**POR + PERSONAL PRONOUN** **freedom to do something** • Por mí, puedes casarte con cualquiera *If you ask me, you can marry anyone*
opinion • Para mí, él no será buen presidente. *From my point of view,* *he will not be a good president.*	**replacement / substitution** • Solamente hoy trabajé por ti. *I only worked for you today.*
PARA + PLACE **to / in the direction of** • Este bus sale para el sur del país. *This bus leaves for the south of the country.*	**POR + PLACE** **through / via** • El gato salió por la ventana. *The cat left through the window.*
PARA + TIME **limited time** • Para el 12 terminaré mis vacaciones. *I finish my holiday on the twelfth.*	**POR + TIME** **duration of time** • Yo vengo por 4 horas diarias a la escuela. *I come to school for four hours a day.*
deadline • Para cuando vuelvas, no estaré. *When you return I won't be here.*	**approximation** • Por esas fechas yo no estaba aquí. *I wasn't here during those dates.*
ESTAR PARA + INFINITIVE **to be ready** • Los chicos están para salir. *The boys are ready to leave.*	**ESTAR POR + INFINITIVE** **to be about to** • Los invitados están por llegar. *The guests are about to arrive.*

1. COMPLETE the following sentences using the prepositions *por* and *para*.
   Example: Lo adoptó *por* amor a los niños.

a. Lo haremos solamente .... ti.

b. Preparamos esta cena .... la familia.

c. Faltaba una hora .... que se terminara.

d. .... febrero viajaremos a Moscú.

e. Hay muchas cosas .... hacer en la vida.

f. A la medianoche salimos .... un médico.

g. El presidente no está .... nadie. Está cansado.

h. Te había visto .... la ventana.

2. CHOOSE one of the expressions on the right and complete the sentences.

a. .... a Josefa no le ha afectado lo del divorcio.   (por fin)

b. No se siente bien, hoy ....   (no es para tanto)

c. .... se ha terminado el invierno.   (no estar para nadie)

d. Tengo tanta hambre y puedo comer todo. ....   (por lo visto)

3. CHOOSE between *por* and *para* to complete each sentence.

   por / para

a. No lo despreciéis .... su origen.

b. Le han dado una beca .... continuar sus estudios en Holanda.

c. Nos encontraremos mañana .... la mañana.

d. A Felix le tienen .... una persona honesta.

4. COMPLETE the text using *por* and *para* as appropriate.

"Somos el Mundo"

En 1985 había hambre y gran sufrimiento ....

muchas personas de África, especialmente de Etiopía. Un grupo

de músicos norteamericanos, dirigido .... Bob Geldorf y Harry Belafonte

decidieron grabar un concierto .... reunir fondos y ayudar a los hambrientos.

Vinieron más de cuarenta músicos y trabajaron .... una noche entera ....

grabar la canción "Somos el Mundo" que fue escrita .... Michael Jacson y

Lionel Richie especialmente .... este proyecto. La canción tuvo éxito total

y el dinero de su venta se utilizó .... dar alimentos y medicinas a las

personas de las zonas más necesitadas de África. Este esfuerzo sirvió de

modelo .... otros grupos de músicos entre ellos un grupo de

músicos latinos quienes donaron su talento y su tiempo ....

la lucha contra el hambre en el mundo.

THE ACTIVE VOICE / AND THE PASSIVE VOICE
LA VOZ ACTIVA Y LA VOZ PASIVA

Diagram box

ACTIVE VOICE
Subject + verb + D.O.
Example: Luis **pintó** la casa.
Luis painted the house.

PASSIVE VOICE
Direct Object (D.O.) + ser + past participle + por + subject
Example: La casa **fue pintada** por Luis.
The house was painted by Luis.

1. CHANGE the sentences from the active voice into the passive voice. Use the appro priate tense.

Example: Pagarán las facturas a fin de mes. ***Serán pagadas las facturas.***

a. Goya pintó "La Maja Desnuda" ....

b. Los europeos adoptan niños latinos. ....

c. El congreso aprobará la ley del divorcio. ....

d. Habían capturado a los terroristas. ....

e. Los analistas han resuelto los problemas. ....

f. Ellos ya terminaron el proyecto. ....

g. Los médicos han analizado los resultados. ....

h. Leerían las estadísticas en el noticiero. ....

2. CHANGE from the active into the passive voice.

Example: La noticia fue difundida por los medios de comunicación.
Los medios de comunicación difundieron la noticia.

a. El puente fue construido con hormigón armado.

....

b. Los trajes han sido enviados a la tintorería.

....

c. El equipaje será registrado por la aduana.

....

d. La puerta será abierta por el portero.

....

THE PRESENT SUBJUNCTIVE 229 - 252

THE PRESENT SUBJUNCTIVE

EL PRESENTE DE SUBJUNTIVO

	habl -ar	ten -er	ped -ir
yo	habl **-e**	teng **-a**	pid **-a**
tú	habl **-es**	teng **-as**	pid **-as**
él / ella / usted	habl **-e**	teng **-a**	pid **-a**
nosotros (as)	habl **-emos**	teng **-amos**	pid **-amos**
vosotros (as)	habl **-éis**	teng **-áis**	pid **-áis**
ellos / ellas / ustedes	habl **-en**	teng **-an**	pid **-an**

ir	estar	saber	dar	ser	haber
vaya	esté	sepa	dé	sea	haya
vayas	estés	sepas	des	seas	hayas
vaya	esté	sepa	dé	sea	haya
vayamos	estemos	sepamos	demos	seamos	hayamos
vayáis	estéis	sepáis	deis	seáis	hayáis
vayan	estén	sepan	den	sean	hayan

1. CONJUGATE the verbs in parentheses in the Present Subjunctive.

Example: Yo quiero que tú no te *entristezcas.* *(entristecerse)*

a. No me gusta que los niños menores de edad .... (trabajar)

b. Quizá en algunos años Bolivia .... su economía. (cambiar)

c. No es importante que .... acabo esa ceremonia. (llevarse)

d. ¿Prefieren que sus parejas .... guapas o inteligentes ? (ser)

2. ANSWER the questions using the Present Subjunctive.

    Example: ¿Qué pretendes?

              (entender)   *Pretendo que entiendas nuestras costumbres.*

a. ¿Para qué esperas que él vaya al festival?

   (ir)   Espero que .... al festival para conocerlo.

b. ¿Es normal que llueva en verano?

   (caer)   No, no es normal que .... tanta lluvia.

c. ¿Qué nos sugieren para nuestro restaurante?

   (dar)   Sugerimos que .... un aperitivo de entrada.

d. ¿Tú crees que haya trabajo para el fin de semana?

   (haber)   No creemos que .... trabajo para este fin de semana.

3. CHOOSE the correct verb and complete the sentence in the Present Subjunctive.

Ser / Estar

a. Cuando .... adultos viajaremos por todo el mundo.

b. Espero que el médico todavía .... en el consultorio.

c. Iré al concierto siempre y cuando .... en la tarde.

d. Quiero que en la reunión también .... el gerente.

The Present subjunctive can be used in two ways:

In a sentences of one clause
Tal vez **seas** feliz *Maybe you will be happy.*

In a sentences of two clauses
Yo **espero**   **que**   tú **seas** feliz. *I hope that you will be happy.*

USE 1. **To express wishes.** This type of sentence is usually expressed in exclamation marks. It has **become popular in expressions.**

1. CONJUGATE the verbs in parentheses in the Present Subjunctive. Begin the sentence with the relative pronoun *que*.

Example: Después del juicio, el juez ordenó en voz alta: *!Qué lo encierren!*

(encerrarlo)

a. Cuando el pueblo ve llegar al presidente grita: ....

(vivir) (nuestro presidente)

b. El cantante aparece y la gente no deja de gritar: ....

(cantar otra canción)

c. Dice el sacerdote en la iglesia a los que escuchan: ....

(haber) (paz y amor entre nosotros)

2. CHANGE the verbs from the Present Indicative into the Present Subjunctive.

El presidente sale por el balcón y dice al pueblo: ¡Qué vive la patria!, ¡Qué trabajan

mejor! y todos responden: ¡Qué vive!, ¡Qué Dios guía a nuestro presidente!

....

....

USE 2. In repetitive expressions. Obtained by repeating a verb in the Present Subjunctive.

1. CONJUGATE the verbs in the Present Subjunctive and form idiomatic expressions.
Example: Pensar / como / pensar / es su problema /
Piense como piense, es su problema.

a. Ser / como / ser / son amigos /

....

b. Estar / donde / estar / se sentirán a gusto /

....

c. Decir / lo que / decir / Juan / no me enoja /

....

d. Venir / cuando / venir / te / esperaremos pacientemente.

....

2. COMPLETE the sentences by repeating the verb in the Present Subjunctive.
   Example: No tendremos tiempo, hagamos lo que ***hagamos.***

a. Los niños tienen derechos, se comporten como ....

b. La política no cambiará, gane quien .... las elecciones.

c. La TV tiene influencia, opinen lo que ....

d. Tome lo que .... , no dejará de dolerle la cabeza.

USE 3. After *ojalá.* (English: I hope)

Ojalá + Present Subjunctive ➡ hope or wish about future actions.

1. WRITE down sentences with *ojalá* plus the present Subjunctive.
   Example: Vamos a combatir el virus.   *¡Ojalá lo destruyan!*

a. El gobierno realizar la modernización del estado.   ....

b. Los países desarrollados ayudarán a los países pobres.   ....

c. El hambre va a ser el peor criminal del siglo XXI.   ....

d. La industrialización traerá graves problemas sociales.   ....

2. PAIR up sentences in columns A and B and fill in the blanks with corresponding numerals.

A	B	
a. Ojalá tengas algunas tijeras,	1. el auto se descompuso.	a. ....
b. Ojalá sepan de mecánica,	2. le queda poco tiempo.	b. ....
c. Ojalá no se desmaye,	3. está pálida.	c. ....
d. Ojalá se apresure,	4. necesito cortar papel.	d. ....

3. ANSWER the questions using *ojalá* plus the Present Subjunctive.
Example: ¿Se distraerán los ancianos durante el paseo?
¡Ojalá se distraigan!

a. ¿Ganarán la competencia?

....

b. ¿Lo culparán de haber roto el cristal?

....

c. ¿Tendrá algo interesante que contarme?

....

d. ¿Me echaras de menos si me voy de aquí?

....

USE 4. With adverbs expressing doubt or probability.

Adverbs of doubt and probability	
· tal vez	*maybe / perhaps*
· quizá(s)	*maybe*
· posiblemente	*possibly*
· probablemente	*probably*
· puede que	*it can be that*
· puede ser que	*it can be that*

1. ANSWER the questions using adverbs of doubt and the Present Subjunctive.
  Example: Los japoneses van a comer pulpo ¿y tú?
       (Tal vez) *Tal vez yo coma pulpo.*

a. La naranja tiene vitamina C ¿y la zanahoria?

  (Posiblemente) ....

b. La producción va a ser buena ¿y la venta?

  (Puede que) ....

c. Las hormigas almacenan alimentos ¿y las ardillas?

  (Probablemente) ....

d. La música clásica contribuye al descanso ¿y la música romántica?

  (Puede ser que) ....

2. PUT words in the right order, conjugate the verbs in the Present Subjunctive and form sentences.

Example: Acabar / la temporada de lluvia / quizá / mañana
   Quizá mañana acabe la temporada de lluvia.

a. Posiblemente / el proyecto del bus ecológico / realizarse

....

b. Cambiar de mentalidad tú / tal vez / después del viaje

....

c. Después de la muerte / haber / probablemente / otra vida

....

d. En un futuro / volverse / la gente / vegetariana / quizá

....

3. PAIR up sentences in columns A and B and fill in the blanks with corresponding numerals.

<table>
<tr><td align="center">A</td><td align="center">B</td><td></td></tr>
<tr><td>a. El reloj no funciona,</td><td>1. puede ser que estén de vacaciones.</td><td>a. ....</td></tr>
<tr><td>b. La oficina está cerrada,</td><td>2. posiblemente estemos en invierno.</td><td>b. ....</td></tr>
<tr><td>c. Está lloviendo mucho,</td><td>3. quizá vengan mis hermanos.</td><td>c. ....</td></tr>
<tr><td>d. Hay una fiesta en mi casa,</td><td>4. tal vez necesite una nueva batería</td><td>d. ....</td></tr>
</table>

USE 5. To express suggestions. *(These are activities which can include the narrator. Same case of Imperative "nosotros")*

1. FOLLOW the example. Use "nosotros"form.
/ entregar / los documentos /   ***Entreguemos los documentos.***

a. / no rechazar / la propuesta /   ....

b. / ir / a la fiesta   ....

c. / no aceptar / la corrupción /   ....

d. / no desorganizar / lo realizado /   ....

2. FILL in the blanks with the correct form of the verb in the Present Subjunctive.

Consejos prácticos para que el enfermo se cure:
El médico nos sugiere que:

a. abusar   No ***abusemos*** de nuestro cuerpo.

b. seguir   .... las instrucciones correctamente.

c. tomar   .... las medicinas a tiempo.

d. descansar   .... lo suficiente.

e. no salir   .... a la calle por estos días.

Diagram box

PRINCIPAL CLAUSE		SUBORDINATED CLAUSE
Present Indicative		Present Subjunctive

1. Verbs of doubt.

No creemos   **que**   **ustedes regresen a casa**
We don't think that you will come back home.

2. Verbs of wishing or influence.

Yo quiero   **que**   **tú vivas por tu cuenta**
I want you to live by your own means.

3. Verbs of emotion.

Nos alegra   **que**   **él se vaya a Sudamérica**
We are delighted that he is going to South America.

4. Verbs of perception.

No percibo   **que**   **ella sea de confianza**
I don't feel like she is a trustworthy type.

1. CONJUGATE the verbs in parentheses in the Present Subjunctive.

    Example: No está seguro que **(nevar)** este año.
                     No está seguro que *nieve* este año.

a. Temo que no (haber) .... una solución para la desnutrición.

b. No creemos que el café (causar) .... malos efectos en la salud.

c. Los agricultores dudan que la producción (ser) .... favorable.

d. ¿A quién le parece mal que yo (bostezar) .... ?

2. FOLLOW the example:
Pensar / tú que / ser / una artista
¿Piensas tú que sea una artista?   *No, no creo que sea una artista.*

a. Pensar usted que / la discusión terminará pronto

....

b. Parecer a ustedes que / habrá tormenta

....

c. Temer tú que / se producirá un incendio

....

d. Creer vosotros / que lloverá esta tarde

....

3. CONJUGATE verbs in the Present Subjunctive and form sentences.
Example: Patricia: Patricia / organizar / una cena en casa / sugerir
                      Patricia sugiere que organicemos una cena en casa.

a. Sus padres: a Gustavo / fumar / prohibirle

....

b. Mi esposo: quedarme en casa / preferir

....

c. Los estudiantes: ir con ellos a la biblioteca / pedirme

....

d. Nuestra profesora: presentar la tarea a tiempo / confiar / nosotros /

....

4. ANSWER the questions using the Present Subjunctive.
    Example: ¿Qué le asombra?   *(no haber respeto personal)*
                 Me asombra que no haya respeto personal.

a. ¿Qué os alegra?   (tú / seguir las reglas de la religión)

....

b. ¿Qué te halaga?   (él regalarme rosas rojas)

....

c. ¿Qué le hace falta a Lola?   (darle masajes relajantes)

....

d. ¿Qué les entristece a ellos?   (haber niños pobres?

....

5. IMAGINE the situation depicted below and write down the dialogue. Use the **Present Subjunctive tense.**

6. CHOOSE the most appropriate verb and complete the sentence.

Example: Ellos no perciben que la natalidad *esté* aumentando.

a. es   **b. esté**   c. sea   d. estás

a. Los invitados no notan que .... demasiado alcohol.

a. tenga   b. dé   c. haya   d. ponga

b. Los técnicos no descubren que el motor roto .... el trabajo.

a. ahorre   b. incluya   c. destruya   d. continúe

c. Nosotros no sentimos que vosotros nos .... apoyo moral.

a. deis   b. oigáis   c. digáis   d. busquéis

d. Los cocineros no ven que el pulpo .... mal preparado

a. haga   b. vaya   c. tenga   d. esté

2. IMPERSONAL CLAUSES

> **Diagram box**
>
> **Ser / Parecer + adjective + que + Present Subjunctive**
>
> **Example:**   **Es** importante **que** tengas cuidado.
> *It is important that you take care.*
>
> **Parece** difícil **que** puedas comprar un vuelo hoy.
> *It seems difficult for you to be able to buy a flight today.*

1. CHANGE the sentences into the Present Sunjunctive. Use impersonal expressions.
Example: Ahora hay menos analfabetos en el mundo.
            Es posible que en el futuro *haya menos analfabetos en el mundo.*

a. Se puede eliminar el hambre en el mundo.

   Es difícil que ....

b. El uso del Internet facilitará la comunicación.

   Es importante que ....

c. La tecnología va a ser mejor en veinte años.

   Es posible que ....

d. Pronto la contaminación va a destruir el medio ambiente.

   Es desagradable que ....

2. CONJUGATE the verbs in parentheses in the Present Subjunctive.
   Example: Es urgente que ellos nos *envíen* el paquete .   *(enviar)*

a. Es necesario que tú .... el anzuelo para pescar.   (llevar)

b. Es mejor que el obispo .... la misa.   (dar)

c. Es bueno que los niños .... controlados por los padres.   (ser)

d. Es menester que vosotros .... de ideas.   (cambiar)

3. CHANGE the following impersonal sentences from the infinitive into the Present Subjunctive. Use the words in parentheses as subjects.
   Example: Es preciso cerrar la puerta al salir.   (James)
                 Es preciso que James cierre la puerta al salir.

a. No es lógico beber alcohol antes de conducir.   (vosotros)

....

b. Es increíble viajar por todo el mundo.   (los europeos)

....

c. No es agradable criticar a los otros colegas.   (los compañeros)

....

d. Es fantástico tener una buena amistad.   (nosotros)

....

3. INDEFINITE CLAUSES

> **Diagram box**
>
> ### Indefinite particulars + que + Present Subjunctive
>
> Busco **una** agencia de viajes **que** me ofrezca precios cómodos. *(I don´t know which agency)*
> *I am looking for a travel agency that offers me reasonable prices.*

1. CHOOSE the appropriate indefinite adjective or pronoun, conjugate the verb in the Present Subjunctive and write down the sentence.
Example: Necesitamos *(una, ninguna)* fruta que *(ser)* cítrica.
Necesitamos una fruta que sea cítrica.

a. Yo quiero (algo, algún) que (enfriar) la bebida.

....

b. El jefe prefiere (alguien, alguna) secretaria que (tener) buenas cualidades.

....

c. Necesitamos (un, ningún) socio que (preocuparse) por la empresa.

....

d. Nosotros no tenemos a (alguien, nadie) que (pagar) por nuestros servicios.

....

2. CONJUGATE the verbs in parentheses and complete the sentences in the Present Subjunctive.

Example: ¿Hay aquí alguien que *hable* alemán?   *(hablar)*

a. Prefiero unas personas que .... honesta en todo sentido.   (ser)

b. Buscamos a un expositor que .... expresarse en público.   (saber)

c. No hay nadie que .... interpretar a Marilyn Monroe.   (poder)

d. Temo que algunos ladrones .... robarme.   (querer)

3. FOLLOW the example:
   ¿Qué necesitan?   *Una secretaria que haga traducciones al francés*

a. ¿A quién quiere contratar?   A una persona que ....

b. ¿A quién buscas?   A alguien que ....

c. ¿Qué quiere comprar?   Algún sombrero que ....

d. ¿Qué religión prefiere?   Una religión que ....

4. ADVERBIAL CLAUSES

Indefinite Relative Pronouns	
• comoquiera	*however*
• cualquier(a)	*whichever*
• cuandoquiera	*whenever*
• dondequiera	*wherever*
• lo que quiera	*whatever*
• quienquiera	*whoever*

1. PAIR up expressions in columns A and B and fill in the blanks with corresponding numerals.

A	B	
a. Su madre lo acepta,	1. comoquiera que sea	a. ....
b. Tengo que verte urgentemente,	2. lo que quiera que haya de comida	b. ....
c. No tenemos tanta hambre,	3. cuandoquiera que puedas	c. ....
d. Busco un teléfono celular bueno,	4. cualquiera que funcione	d ....

2. PUT the words in right order and form sentences.

Example: Iré contigo / estés / dondequiera / que *Dondequiera que estés,* iré contigo.

a. que / quienquiera / dile que no estoy / venga   ....

b. idea / que / cualquier / sea / ¡díganmela!   ....

c. que / cuandoquiera / vengas / nos encantará   ....

d. lo que quiera / leas / que / debe ser interesante   ....

CONJUNCTIONS WITH PRESENT SUBJUNCTIVE
CONJUNCIONES CON EL PRESENTE DE SUBJUNTIVO

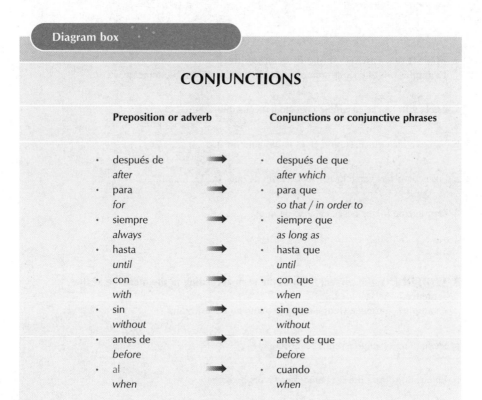

Diagram box

CONJUNCTIONS

Preposition or adverb	Conjunctions or conjunctive phrases
• después de *after*	• después de que *after which*
• para *for*	• para que *so that / in order to*
• siempre *always*	• siempre que *as long as*
• hasta *until*	• hasta que *until*
• con *with*	• con que *when*
• sin *without*	• sin que *without*
• antes de *before*	• antes de que *before*
• al *when*	• cuando *when*

1. CHOOSE the right conjunction and complete the sentence.

Example: Les pagaré por las clases *siempre que* me enseñen bien a conducir.

en cuanto   hasta que   a menos que   ***siempre que***   cuando

a. El mundo será mejor .... la gente tenga más conciencia social.

b. Ningún representante vota por una ley .... la beneficie.

c. Los obreros firmarán el contrato .... el jefe les aumente el salario.

d. No te aconsejaré más .... cambies de opinión.

2. FINISH the sentences in the Present Subjunctive.
   Example: Nos encontraremos a las seis aunque *llueva* fuertemente.

a. Estela y Rubén se casarán en agosto a menos que ....

b. Vamos a hacer una reunión en el jardín a no ser que ....

c. Los ecologistas van a hacer visitas a fin de que ....

d. Pregúnteme lo que desee en caso de que ....

**3. UNDERLINE the correct form of the verb according to the meaning of the
   sentence.**
   Example: Aunque **(tengo / *tenga*)** sueño no iré a dormir.

a. Siempre que (vengo / venga) está enojado.

b. En cuanto (llora / llore) el niño, por favor ¡llámame!

c. Él generalmente es así, tan pronto como se (levanta / levante) pide agua.

d. Mientras ella no (mira / mire) a su hijo en casa, no está tranquila.

THE SEQUENCE OF TENSES
WITH THE PRESENT SUBJUNCTIVE

The Present Subjuntive is related to the following tenses and moods.

1. Present Indicative
2. Present Perfect Indicative
3. Future Indicative   +   **Present Subjunctive**
4. Future Perfect Indicative
5. Imperative (Mood)

1. CONJUGATE the verbs in parentheses in the Present Subjunctive.
    Example: Dudamos que / haber / agua contaminada.   *haya*

a. Es increíble que éste niño / aprender / tan rápido.   ....

b. Nos han pedido que / organizar / un espectáculo.   ....

c. ¿Me permitirás que / ir / de compras?   ....

d. Enciende la lámpara cuando / sentir / ruidos.   ....

2. CONJUGATE the verbs in parentheses in the Present Subjuntive.
    Example: Espero que usted **(no tener)** pánico a las tarántulas.
                      Espero que usted *no tenga* pánico a las tarántulas.

a. Prefiero que vosotros (encontrarse) .... en la cafetería.

b. Me extraña que mi abuela no (dirigirme) .... la palabra.

c. Nos duele que tú (comportarse) .... de esa manera.

d. Es importante que el jefe (admitir) .... los errores.
3. CONJUGATE the verbs in parentheses in the Present Subjunctive.

La agricultura y los consumidores

Queremos que la cooperativa de agricultores del país (ofrecer) buen servicio de reparto a domicilio de frutas, verduras frescas y nutritivas.

Que sus productos no (contener) sustancias químicas ni tóxicas. Que los (vender) directamente al consumidor y que no (aprovecharse) del cliente.

....

....

....

THE PRESENT PERFECT SUBJUNCTIVE   253 - 274

THE PRESENT PERFECT SUBJUNCTIVE
EL PRETÉRITO PERFECTO DE SUBJUNTIVO

	"Haber" in Present subjunctive		Past Participle
yo	haya		
tú	hayas		habl-**ado**
él / ella / usted	haya	+	com-**ido**
nosotros (as)	hayamos		viv-**ido**
vosotros (as)	hayáis		
ellos / ellas / ustedes	hayan		

1. CONJUGATE the verbs in parentheses in the Perfect Subjunctive.

Example: No sé si la gente le *haya entendido* al periodista.   *(entender)*

a. Tememos que .... más personas en Sudáfrica.   (morir)

b. ¡Ojalá Mateo .... el concurso de oratoria!   (ganar)

c. Es bueno que el público .... su opinión.   (dar)

d. Quizá los niños .... una buena atención.   (recibir)

2. CHOOSE the most appropriate verb from the list and complete the sentence in the Perfect Subjunctive.

Example: Espero que tú *hayas disfrutado* de tu libertad.

poder   *disfrutar*   ser   poner   amar

a. ¡Ojalá los chicos .... jugar con los vecinos!

b. Posiblemente Bolívar .... profundamente a Manuelita Sáenz.

c. Es indispensable que tú te .... inyecciones contra la malaria.

d. Aunque este barco .... bien mantenido no queremos comprarlo.

3. **ANSWER the questions in the Perfect Subjunctive.**
    Example: ¿Creen ustedes que ellos hayan visto esa novela?
    No, no creo que la hayan visto.

a. ¿Cree usted que haya habido machismo hace mil años?

....

b. ¿Les parece que los antiguos indígenas hayan fumado cocaína?

....

c. ¿Te interesa vivir en una sociedad que haya eliminado la pobreza?

....

d. ¿Os alegra que las mujeres hayan demostrado ser intelectuales?

....

USES

In sentences of one clause

¡Qué **hayas disfrutado** el viaje!
I hope you have enjoyed the trip.

In sentences of two clauses

Yo **espero** **que** ellos **hayan llegado** bien.
I hope they have arrived okay.

USES IN SENTENCES OF ONE CLAUSE

USE 1. **To express wish or hope about actions which may have taken place in the past.** Generally used in sentences with exclamation marks.

1. **FOLLOW the example:**
   No sé si mi hijo ha llegado de su trabajo.
   ¡Qué haya llegado!

a. No sabemos si ha podido encontrar un boleto aéreo.

....

b. No sabes si han pasado tu programa favorito.

....

c. No se si la operación de corazón abierto de Susy estuvo bien.

....

d. No sabemos si nuestro capital en el banco aumentó con el interés.

....

2. STRUCTURE sentences in the Perfect Subjunctive.
Example: / han comprado la computadora / no sabemos
  ¡Qué la hayan comprado!

a. / no sé / encontraron bus o no /

....

b. / han podido regresar en el día / no sabemos /

....

c. / no sabes / tuvieron ese medicamento en la farmacia /

....

d. / no sé / hay esa talla de pantalones /

....

USE 2. In repetitive expressions. Obtained by repeating the verb in the Present Perfect Subjunctive.

1. CONJUGATE the verbs in the Perfect Subjunctive and structure the sentences.
Example: Expresarlo / como expresarlo / tienen razón
  Lo hayan expresado como lo hayan expresado, tienen razón.

a. Dormir / o no dormir / se ven cansados.

....

b. ver tú / o no ver / no me importa

....

c. Ustedes / perder / lo que / perder / lo habrán recuperado

....

d. Beber / o no beber / nos duele la cabeza.

....

2. COMPLETE the sentences below, by repeating the verbs in the Perfect Subjunctive.
Example: Se ve bien, *se haya peinado o no se haya peinado.*

a. Les felicitan por el juego, hayan ganado o no ....

b. El payaso os ha alegrado, os hayáis reído o no ....

c. Te perdonarán, hayas hecho lo que ....

d. Lo vamos a recordar, haya muerto cuando ....

USE 3. After *ojalá.* (English: I hope)

Ojalá + Present Perfect Subjunctive ➡ expresses hope or wish about past actions.

1. CONJUGATE the verb in the Perfect Subjunctive in the sentences below.
Example: Ojalá el intercambio escolar *te haya servido* para aprender más.

a. Ojalá la destrucción del muro de Berlín (ser) .... una buena idea.

b. Ojalá mi amigo (tener) .... suerte en su inversión .

c. Ojalá los guerrilleros no (poner) .... otra bomba en la ciudad.

d. Ojalá tú no (estar) .... mucho tiempo sin ayuda.

2. FORM sentences in the Perfect Subjunctive, using *ojalá*.
    Example: No sé si la operación ha salido bien.   *¡Ojalá haya salido bien!*

a. No sabemos si ha tenido éxito en el examen.   ....

b. No saben si Luis ha ganado la competencia.   ....

c. No sabes si yo ya he ahorrado lo suficiente.   ....

d. No sé si vosotros habéis limpiado el pasillo.   ....

USE 4. With adverbs expressing doubt or probability.

1. ANSWER the questions. Use adverbs of doubt.
    Example: Mi hijo ha estudiado lo suficiente ¿y el suyo?
               (Tal vez)   *Tal vez mi hijo también haya estudiado lo suficiente.*

a. La ensalada ha sido muy nutritiva ¿y el postre?

    (Quizá)   ....

b. Nosotros no hemos permitido el maltrato ¿y vosotros?

    (Tal vez)   ....

c. Los astronautas han ido a la luna ¿y los millonarios?

    (Puede ser que)   ....

d. El payaso ha hecho reír a los niños ¿y el bufón?

(Probablemente) ....

2. CONJUGATE the verbs in the Perfect Subjunctive.
   Example: Tal vez *haya habido* delincuencia hace doscientos años.   *(haber)*

a. Posiblemente los mexicanos ya .... otro presidente.   (elegir)

b. Quizá el éxito de los famosos .... de su suerte personal.   (depender)

c. Probablemente en el siglo XV las mujeres .... menos derechos.   (tener)

d. Quizás siempre los poderosos .... a otras naciones.   (dominar)

USES IN SENTENCES OF TWO CLAUSES

1. NOMINAL CLAUSES
2. IMPERSONAL CLAUSES
3. INDEFINITE CLAUSES
4. ADVERBIAL CLAUSES

1. NOMINAL CLAUSES

Diagram box

PRINCIPAL CLAUSE		SUBORDINATED CLAUSE
Present Indicative		Present Perfect Subjunctive

1. Verbs of doubt

No creemos que **tú nos hayas aconsejado tan bien.**
We don't think you have given us such good advice.

2. Verbs of wishing or influence

Yo espero que **a ustedes les haya gustado el viaje.**
I hope you have enjoyed the trip.

3. Verbs of emotion

Nos alegra que **ustedes se hayan divertido.**
We're delighted that you have had a good time.

4. Verbs of perception

No siento que **ella me haya querido tanto.**
I don't feel like she has loved me much.

1. COMPLETE the sentences. Repeat the verb in the Perfect Subjunctive.
   Example: Tú, ya has firmado el cheque, pero no creo que él ya lo *haya firmado.*

a. Los militares se han esforzado, pero temo que los marineros no ....

b. Ellos han hecho trampa, pero no me parece bien que tú la ....

c. Las entrevistas han sido buenas, pero no creo que los resultados lo ....

d. El reloj ha costado poco, pero no pensamos que la refrigeradora .... menos.

2. FOLLOW the example:
El asesor dudar / las cosas ir bien
El asesor duda que las cosas hayan ido bien.

a. Los conductores no pensar / el tráfico disminuir.

....

b. Le parece mal / el empleado causarle problemas.

....

c. Los escépticos no creer / Jesús morir por nosotros.

....

d. Temer nosotros / las lluvias afectar las cosechas.

....

3. IMAGINE the situacion depicted below and write down the dialogue. Use verbs of doubt and the Perfect Subjunctive.

No creo que tu jefe te haya dicho eso, es cómico.

4. FOLLOW the example:
dudar / tú / yo cambiar
Tú dudas que yo haya cambiado.

a. Nadie oponerse a / nosotros adoptar a un niño

....

b. Algunas autoridades reprobar / ustedes romper los vidrios.

....

c. No todos negar / tú hacer lo correcto

....

d. Yo no permitir / vosotros dar otra explicación

....

5. CHOOSE the right verb and complete the sentence in the Perfect Subjunctive.
   Example: empezar / salir
   Al soldado le enfada que *hayan empezado* otra guerra.

contribuir / disminuir
a. A muchos les preocupa que la exportación del arroz ....

recuperarse / morirse
b. Al doctor le satisface que el paciente ....

bajar / incluir
c. A mí me asombra que las divisas .... demasiado.

terminar / florecer
d. Nos emociona que el invierno .... ya.

6. FORM sentences in the Perfect Subjunctive.

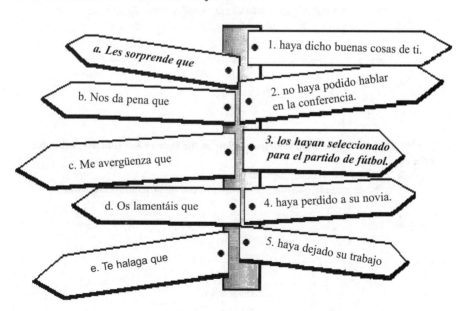

a. Les sorprende que
b. Nos da pena que
c. Me avergüenza que
d. Os lamentáis que
e. Te halaga que

1. haya dicho buenas cosas de ti.
2. no haya podido hablar en la conferencia.
3. *los hayan seleccionado para el partido de fútbol.*
4. haya perdido a su novia.
5. haya dejado su trabajo

a.3   Les sorprende que los hayan seleccionado para el partido de fútbol.

b............   ....

c............   ....

d............   ....

e............   ....

2. IMPERSONAL CLAUSES

> **Diagram box**
>
> **Ser / Parecer + adjective + que + Present Perfect Subjunctive**
>
> **Es** bueno **que** hayas registrado tu nombre en la Academia.
> *It is a good thing that you have registered your name in the Academy.*
>
> **Parece** increíble **que** hayas podido comprar un vuelo para hoy.
> *It seems incredible that you have been able to buy a flight for today.*

1. COMPLETE the impersonal sentences below in the Perfect Subjunctive, using the verbs in parentheses.
   Example: No es extraño que *(admirar)*
              No es extraño que *nuestros amigos hayan admirado nuestra cultura.*

a. Es imposible que ...   (fumar)

   ....

b. Es malo que ...   (equivocarse)

   ....

c. No es fácil que ...   (comprender)

....

d. Es aburrido que ...   (leer)

....

2. CHANGE the sentences from the infinitive into the Perfect Subjunctive. Use the subjects indicated in parentheses.
Example: Es lógico poner la basura en su lugar.   *(la gente)*
                Es lógico que la gente haya puesto la basura en su lugar.

a. Es increíble aceptar casarse contigo.   (yo)

....

b. Es útil comprar una lavadora.   (el ama de casa)

....

c. Es una vergüenza no respetar los derechos humanos.   (el gobierno)

....

d. Es natural llorar de emoción.   (usted)

....

3. INDEFINITE CLAUSES

Indefinite particulars + que + Present Perfect Subjunctive

Busco **una** agencia de viajes **que** siempre haya ofrecido precios cómodos.
I am looking for a travel agency that has always offered reasonable prices.

1. **FOLLOW the example:**
   No querer a nadie / estar detenido / antes ***No quiero a nadie que haya estado detenido.***

a. Ella preferir un producto / ser importado ....

b. Tú elegir algunos platos / ya ser probados ....

c. No haber ningún mexicano/ no beber tequila...

d. Yo buscar a alguien / preparar guacamole ....

2. **COMPLETE the sentences with an indefinite article or word conjugate the verb of the secondary clause in the Perfect Subjunctive.**
   Example: El gobierno no reconstruye ***ninguna*** obra que ***haya sido*** construida antes.

a. ¿Existe .... librería que (exportar) .... libros?

b. ¿Hay aquí .... persona que (pasar) .... un mala experiencia?

c. ¿Piensas que .... (escuchar) .... nuestra conversación?

d. .... cree que ella (hacer) .... este cuadro.

4. ADVERBIAL CLAUSES

Diagram box

Indefinite Relative Pronouns   +   que +   Present Perfect Subjunctive

Comoquiera que haya dicho el discurso, lo habrán entendido.
However he has presented the speech, they will have understood it.

1. PUT words in the right order and form sentences in the Perfect Subjunctive.
Example: / cultivar / comoquiera / estas flores / crecerán
   Comoquiera que haya cultivado estas flores, crecerán

a. / Lo encontraré / esconderlo / dondequiera / ustedes /

....

b. / No le creas / admitir / lo que quiera /

....

c. / Saldrá bien / hacer tú / comoquiera / la fotografía /

....

d. / Quienquiera / golpear / a una mujer / es mala persona /

....

2. COMPLETE the sentences using compound relative pronouns and conjugating verbs.

Example: Comerán la ensalada *comoquiera* que (prepararla) el cocinero.
Comerán la ensalada *comoquiera que* la *haya preparado* el cocinero.

a. Invitaremos a la reunión a .... que tú (decidir) ....

b. .... casa que tú (elegir) .... , te será útil.

c. .... que (estar) .... lo seguiré esperando.

d. .... que usted (hacer) .... antes, no me interesa.

CONJUNCTIONS WITH PRESENT PERFECT SUBJUNCTIVE
CONJUNCIONES CON EL PRETÉRITO PERFECTO DE SUBJUNCTIVO

> **Diagram box**

Conjunction + Present Perfect Subjunctive ➡ future action in relation to another action terminated in the future

Te lo voy a contar **cuando** me **hayas pedido.**
I will tell you when you have asked me.

1. ANSWER the questions in the Perfect Subjunctive. Use the conjuctions in parenthesis.

Example: ¿Cuándo se terminará la contaminación?   *(cuando)*
La contaminación se terminará cuando se haya tomado conciencia.

a. ¿Crees que ellos se equivocarán al hablar?   (aunque)

....

b. ¿Seguirá la gente contribuyendo a las causas sociales?   zz(a menos que)

....

c. ¿Cuándo boxearán las mujeres?   (tan pronto como)

....

d. ¿Cuándo van a definir sobre la eutanasia?   (cuando)

....

2. COMPLETE the sentences in the Perfect Subjunctive, giving them meaning.
   Example: Pedro podrá ser el gerente siempre que *haya cumplido con los requisitos.*

a. Yo me habré sentido mejor tan pronto como ....

b. ¡Llamen una ambulancia cuando ....

c. Le preparé un jugo en caso de que ....

d. No voy a permitirte hablar así aún cuando ....

3. CONJUGATE the verbs in parentheses in the Perfect Subjunctive and underline the conjunctions.

A pesar de que Verónica (optar) .... por ser una mujer empresaria, cree que siempre encontrará situaciones difíciles como mujer y aunque todos sus colegas (impulsarla) .... a la decisión de hacerlo, habrá tal vez, una que otra controversia. Sin embargo, ella espera lograrlo, para que todos quienes (confiar) .... en su capacidad, todavía la sigan respetando, con el fin de que la próxima mujer que (decidir) .... hacer lo mismo, lo haga de la misma forma, sin miedo a perder y defender su posición como mujer.

THE SEQUENCE OF TENSES
WITH THE PRESENT PERFECT SUBJUNCTIVE

1. Present Indicative
2. Present Perfect Indicative
3. Future Indicative   +   **Present Perfect Subjunctive**
4. Future Perfect Indicative
5. Imperative (Mood)

1. UNDERLINE the correct verb form in each senrtence.
   Example: Es importante que Franklin *(haya inventado, inventara)* el pararrayos.

a. Me (ha parecido, parecía) bien que la expedición haya salido al amanecer.

b. Nos (encanta, encantó) que los piratas hayan cruzado los mares.

c. Han visto que el semáforo (haya cambiado, cambia) cada dos minutos.

d. No (admitiré, admita) que se haya censurado de esa manera.

2. FOLLOW the example:
   Ser necesario / él quedarse tranquilo.
   Es necesario que se haya quedado tranquilo.
   Ha sido necesario que se haya quedado tranquilo.

a. A nosotros agradar / el cielo estar despejado

   ....

   ....

The sequence of Tenses

b. Ser justo / el niño recibir el castigo

....

....

c. Todos estar felices / tú triunfar

....

....

d. Ser increíble / el imperio de los incas ser inmenso

....

....

3. FORM a sentence for each combination of tenses:
  Example: (Pretérito Perfecto Subjuntivo / Imperativo)
          Cuando se haya sentado bien, déle la mala noticia.

a. (Perfect Subjunctive / Present Indicative)

....

b. (Perfect Subjunctive / Future Indicative)

....

c. (Perfect Subjunctive / Future Perfect Indicative)

....

d. (Perfect Subjunctive / Perfect Indicative)

....

4. UNDERLINE the correct answer for each given situation.

a. No creemos todavía que ellos hayan estado tan felices en aquella fiesta. ¿Qué creen que haya sucedido?

1. Han terminado su año escolar.
2. Se han cambiado de ropa.
3. Ha habido poco licor.

b. Dudo tanto que hayan podido disfrutar del espectáculo. ¿Por qué dudas que hayan disfrutado?

1. Se habrán quedado dormidos.
2. Se han puesto a conversar y no lo escucharon.
3. No es lo que han esperado.

c. Sentimos mucho que haya habido tantas candidatas al reinado de la ciudad. ¿Por qué les parece que haya sido así?

1. Mi hija será la perdedora.
2. Será muy difícil elegir una. Todas son bonitas.
3. Se habrán presentado varias chicas guapas.

d. No hemos notado que haya caído una gran tormenta. ¿Qué haya pasado?

1. Han estado en una oficina interna.
2. Han tenido una reunión tan interesante.
3. Estarían tan concentrados en lo que estaban haciendo.

THE IMPERFECT SUBJUNCTIVE 275 - 302

THE IMPERFECT SUBJUNCTIVE
EL PRETÉRITO IMPERFECTO DE SUBJUNTIVO

Stem of the 3rd person plural in the Preterite	The Imperfect Subjunctive (endings)
ellos **pens** -aron ➡	yo pens -**ara / ase**
ellos **quis** -ieron ➡	yo quis -**iera / iese**
ellos **durm** -ieron ➡	yo durm -**iera / iese**

THE ENDINGS -ARA -IERA (common form)

	pens -ar	**quer -er**	**dorm -ir**
yo	pens -ara	quis -iera	durm -iera
tú	pens -aras	quis -ieras	durm -ieras
él / ella / usted	pens -ara	quis -iera	durm -iera
nosotros (as)	pens -áramos	quis -iéramos	durm -iéramos
vosotros (as)	pens -arais	quis -ierais	durm -ierais
ellos / ellas / ustedes	pens -aran	quis -ieran	durm -ieran

THE ENDINGS -ASE -IESE (alternative form)

	pens -ar	**quer -er**	**dorm -ir**
yo	pens -ase	quis -iese	durm -iese
tú	pens -ases	quis -ieses	durm -ieses
él / ella / usted	pens -ase	quis -iese	durm -iese
nosotros (as)	pens -ásemos	quis -iésemos	durm -iésemos
vosotros (as)	pens -aseis	quis -ieseis	durm -ieseis
ellos / ellas / ustedes	pens -asen	quis -iesen	durm -iesen

1. CONJUGATE the verbs below in the Imperfect Subjunctive.

	sugerir	preferir	sentir	venir
a. ellos	....	....	....	....
a. yo	....	....	....	....

c. nosotros

d. tú

THE IMPERFECT SUBJUNCTIVE
EL PRETÉRITO IMPERFECTO DE SUBJUNTIVO

2. CONJUGATE the verbs in the Imperfect Subjunctive.

   Example: Nos agradó que *nos abrazaras.*   *(abrazar)*

a. Me dolió que .... , era todavía joven.   (morir)

b. El doctor quiso que nosotros .... tantas medicinas.   (tomar)

c. Mi padre me propuso que .... mis datos personales.   (actualizar)

d. El perro no deseaba que vosotros .... en agua fría.   (bañarlo)

3. CHANGE the text from the Present Subjunctive into the the Imperfect Subjunctive.

a.

La doctora les recomienda a sus enfermos que guarden reposo, que tomen todas las medicinas como ella las ordena, que no abusen del alcohol y del cigarrillo, que regresen a la próxima consulta.

b.

Mi madre me aconseja que no ponga la ropa en el piso, que lave todo lo que está sucio, que ordene mi habitación, que arregle bien la vajilla y cocine algo especial para el aniversario de la abuela.

4. CHANGE the sentences from the Present Subjunctive into the Imperfect Subjunctive.

Example: No me molesta que haya demasiado ruido.
No me molestó que hubiera demasiado ruido.

a. A mí me preocupa que los jóvenes fumen drogas.

....

b. Le parece excelente que el gerente acepte la propuesta.

....

c. Se aconseja que los jóvenes tengan más control.

....

d. Los ecologistas piden que no destruyan la naturaleza.

....

USES

The Imperfect subjunctive can be used in two ways:

In sentences of one clause
¡Qué **estuvieras** aquí!
How I wish you were here!

In sentences of two clauses
Ellos **esperaron** que tú **fueras** feliz.
They hoped that you were happy.

USES IN SENTENCES OF ONE CLAUSE

USE 1. In expressions of wishing to indicate actions that are very unlikely. Generally used in exclamation marks.

1. CONJUGATE the verb in parenthesis in the Imperfect Subjunctive.
   Example: ¡Qué *lloviera* más para los sembríos!   *(llover)*

a. ¡Qué no .... tantos huérfanos en el mundo!   (haber)

b. ¡Qué los gobernantes .... en el pueblo!   (pensar)

c. ¡Qué el clima no .... tanto en el día!   (cambiar)

d. ¡Qué mis abuelos no .... enfermos!   (estar)

2. CONJUGATE the verbs between bars in the Imperfect Subjunctive.
   Example: ¡Qué / poder tú / darme otra oportunidad.
              ¡Qué pudieras darme otra oportunidad!

a. ¡Cómo / querer yo / vivir en Costa Rica!

....

b. ¡Qué / todo el mundo / cambiar / su forma de actuar!

....

c. ¡Por ustedes / hacer / lo imposible!

....

d. ¡Qué / volver / a tener mi antigua casa!

....

USE 2. To express wishes that are impossible to fulfil.

1. PAIR up expressions in columns A and B and fill in the blanks with corresponding numerals.

A	B	
a. ¡Quién pudiera volar como los pájaros!	1. Te ves bien.	a. ....
b. ¡Quién tuviera tu edad!	2. Murió hace cinco años.	b. ....
c. ¡Quién tuviera tu energía!	3. No tenemos alas.	c. ....
d. ¡Qué viviera mi esposo!	4. Estamos cansados de vivir.	d. ....

2. MARK the correct answer with an x.

a. ¡Qué fuera rico!

☐ 1. Sería más feliz.

☐ 2. Ayudaría a una fundación.

b. ¡Quién tuviera tu edad!

☐ 1. Haría deporte.

☐ 2. Dormiría todo el día.

c. ¡Qué viviera mi esposo!

☐ 1. Buscaría otro hombre.

☐ 2. Lo amaría cada día.

d. ¡Quién pudiera volar!

☐ 1. Sería como un pájaro.

☐ 2. Entraría sin permiso a otros lugares.

USE 3. In repetitive expressions. *Obtained by repeating a verb in the Imperfect Subjunctive.*

1. CONJUGATE the verbs between bars in sentences obtained by repeating the verbs in the Imperfect Subjunctive.

    Example: / Construir / como / construir / era su gusto.
        Construyera como construyera era su gusto.

a. / Estar / o no / estar / aburrido / nunca lo diría

    ....

b. / Hacer / lo que / hacer / te perdonaban siempre

    ....

c. / Saludarse / o no / saludarse / vivían juntas

    ....

d. / Leerlo / quien / leerlo / lo entendería

    ....

2. COMPLETE the sentences, repeating the verb in the Imperfect Subjunctive.
    Example: Los compraríamos, costaran lo que ***costaran.***

a. Se veían bien, se vistieran como ....

b. El tabaco os haría mal, fumarais cuanto ....

c. Le prepararía un pavo al horno, viniera o no ....

d. Practicarían karate, me permitieran o no me ....

The Imperfect Subjunctive - Uses

USE 4. After *ojalá*. (English: if only)

| Ojalá + Imperfect Subjunctive ➡ hope / wish about an action that is unlikely to happen |

1. PUT words in the right order and structure sentences, using *ojalá*.

Example: / ganar el premio / ojalá / nosotros *¡Ojalá nosotros ganáramos el premio!*

a. las guerras / terminar pronto / ojalá

b. la televisión / no mostrar publicidad / ojalá

c. la prensa / ser positiva siempre / ojalá

d. los gatos / poder bailar / ojalá

2. UNDERLINE the correct verb form, according to the meaning of the sentence.

Example: ¡Ojalá / entienda, *entendiera* / la razón! *(no la entiende)*

a. ¡Ojalá / regresara, regrese / de su viaje! (no vendrá)

b. ¡Ojalá / puedan, pudieran / ayudarte! (no pueden)

c. ¡Ojalá / sea, fuera / mi mejor amiga! (no lo es)

d. ¡Ojalá / escriba, escribiera / pronto! (no lo sabe)

3. ANSWER the questions negatively and express a wish that is impossible to fulfil.
Example: ¿Se ha ganado usted alguna vez la lotería?
No, *no me la he ganado*, pero *ojalá me la ganara.*

a. ¿Conocen ustedes al escritor más importante de América Latina?

No, ... , pero ....

b. ¿La policía va a deportar a los inmigrantes?

Sí, ... , pero ojalá no ....

c. ¿El yerno tiene que convenir con su suegro?

No, ... , pero ....

d. ¿Fidel Castro está de acuerdo con los gobiernos democráticos?

No, ... , pero ....

USE 5. To express courtesy.

Same case as one of the uses of the Conditional but this tense expresses more politeness.

1. PAIR up expressions in columns A and B and fill in the blanks with corresponding numerals.

A	B	
a. No tengo con qué escribir.	1. ¿Fuera tan amable de prestarme un mapa de la ciudad?	a. ....
b. Mi auto se descompuso.	2. ¿Quisiera ayudarme a empujarlo?	b. ....
c. No puedo encontrar tu dirección.	3. ¿Pudiera decirme la hora?	c. ....
d. Me olvidé mi reloj.	4. ¿Pudiera prestarme un bolígrafo?	d. ....

2. FILL in the blanks, using verbs in the Imperfect Subjunctive.

¿Cómo pediría usted con amabilidad frente a estas situaciones?

a. No sé la hora ....

b. No puedo encontrar esta dirección ....

c. Necesito cambiar un billete en monedas ....

d. Se terminó el gas en mi casa ....

3. CHANGE the sentences from the Imperative into the Imperfect Subjunctive.
   Example: ¡Escúcheme!   *¿Pudiera escucharme?*

a. ¡Ayúdenme! ....

b. ¡Dime dónde está el correo postal! ....

c. ¡Encuentre esos papeles! ....

d. ¡Tráedme un café! ....

4. CONJUGATE the verbs in this text in the Imperfect Subjunctive.

Susi va a la farmacia por medicinas, ahí la atención es muy buena, este es el diálogo que escuchamos:

A. ¡Buenos días!

B. ¿ (Poder) .... decirme si tiene estas medicinas?

A. Por supuesto, (querer) .... ayudarle de la mejor manera.

B. (Poder) .... también darme un vaso de agua para tomarme una aspirina, es que me duele la cabeza.

A. No se preocupe, en lugar de aspirina (darle) .... otra medicina, pero no sería lo más conveniente.

B. Gracias, ¡qué amable es usted!

USES IN SENTENCES OF TWO CLAUSES

1. NOMINAL CLAUSES
2. IMPERSONAL CLAUSES
3. INDEFINITE CLAUSES
4. ADVERBIAL CLAUSES
5. CLAUSES WITH *COMO SI*

1. NOMINAL CLAUSES

Diagram box

PRINCIPAL CLAUSE Past Indicative		**SUBORDINATED CLAUSE** Imperfect Subjunctive
1. Verbs of doubt		
No creímos	que	**la selva fuera tan bonita.**
We didn't believe the jungle would be so pretty.		
2. Verbs of wishing or influence		
A ustedes les pedimos	que	**nos visitaran.**
We asked you to visit us.		
3. Verbs of emotion		
Nos alegró	que	**contaran con nosotros.**
We were delighted that they could depend on us.		
4. Verbs of perception		
No sentí	que	**él me quisiera tanto.**
I didn't feel like he loved me as much.		

1. UNDERLINE the correct verb form in the Imperfect Subjunctive.
   Example: A los niños les encantó que (haya, *__hubiera__*) globos en la fiesta.

a. No me extrañaba que (tenga, tuviera) la nariz larga.

b. Siempre se quejaba que le (pongan, pusieran) demasiada sal en la sopa.

c. Les disgustó que (se rompa, se rompiera) el espejo.

d. A los romanos les emocionaba que su rey (abra, abriera) el coliseo.

2. FOLLOW the example:
El médico dudar / el paciente recuperarse
El médico duda que el paciente se recupere.
El médico dudaba que el paciente se recuperara.

a. No nos parecer interesante / ese escritor también pintar

....

....

b. Ellos temer / sus vecinos no aceptarlos

....

....

c. El escultor no estar seguro / su obra ser buena

....

....

d. Vosotros no pensar / el agua con gas ser mejor

....

....

3. COMPLETE the sentences with verbs expressing wish or influence. Use the Past Indicative or the Imperfect Subjunctive, as appropriate.

Example: El piloto no admitió que *fumaran dentro del avión.*

a. .... que hubiera más restaurantes vegetarianos.

b. .... que el video tuviera un contenido productivo.

c. Los empleados impidieron que ....

d. Los bomberos esperaban que ....

4. ANSWER the questions in the Imperfect Subjunctive tense.

Example: ¿Qué les agradaba? *(los niños ver las jirafas en el zoológico)*
Nos agradaba que los niños vieran las jirafas en el zoológico.

a. ¿Qué le satisfizo?   (mi hijo ser excelente alumno)

....

b. ¿A los bomberos que les disgustó?   (no llamarlos a tiempo)

....

c. ¿Qué os encantó?   (saltar los delfines)

....

d. ¿Qué odiaba su esposa?   (ser yo desordenado)

....

5. COMPLETE the sentences using correct forms of the Imperfect Subjunctive.
   Example: El notario *no notó que las firmas fueran falsas.*

a. Algunos jóvenes no percibieron que ....

b. Tu familia no sintió que ....

c. Yo no descubrí que ....

d. La gente no oyó que ....

6. PAIR up expressions in columns A and B and fill in the blanks with correponding numerals.

A	B	
a. Le extendió la mano al saludar.	1. Ella no sentía que la amara.	a. ....
b. Se puso a temblar.	2. No oíamos que fueran humildes.	b. ....
c. Él frecuentemente pensaba en su trabajo.	3. No percibí que tuviera miedo.	c. ....
d. Parecía que tenían mucho dinero.	4. No notó que fuera ciego.	d. ....

2. IMPERSONAL CLAUSES

> ### Diagram box
>
> **Ser / Parecer + adjective + que + imperfect subjunctive**
>
> **Fue** importante **que** tuvieras cuidado.
> *It was important that you should be careful.*
>
> **Parecía** difícil **que** pudieras comprar un vuelo hoy.
> *It seemed difficult for you to be able to buy a flight today.*

1. FORM impersonal sentences, using the Past Indicative in the first clause and imperfect Subjunctive in the second.

    Example: Ser necesario / defender los derechos humanos.

                  Era necesario que se defendieran los derechos humanos.

a. Es triste / no haber mejores trabajos ni salarios

    ....

b. Es una imprudencia / los niños hacer ruido en el hospital

    ....

c. Es lamentable / no haber un control de natalidad

    ....

d. Es extraño / él pensar vivir solo en una isla

    ....

2. CHOOSE the appropriate adjective and verb and complete the sentence. Use the Imperfect Subjunctive.

    Example: **ridículo / fumar**

                  Era ridículo que ***fumara*** en el hospital.

a. obligatorio / estudiar

    No fue .... que ....

b. lamentable / perder

    Era .... que ellos .... el partido.

c. una vergüenza / decir

    Era .... que .... esas cosas en público.

d. urgente / tomar

Fue .... que te .... ese jarabe natural.

3. MARK the correct answer with an X.
   Example: Era necesario que cumpliera la misión. ☐ 1. Porque le obligaron.

   ☒ 2. Porque era su responsabilidad.

a. Fue doloroso que muriera.   ☐ 1. Ya era muy viejo.

   ☐ 2. Era un joven divertido.

b. Era lamentable que lo despidieran.   ☐ 1. Era irresponsable.

   ☐ 2. Tenía buenas ideas.

3. INDEFINITE CLAUSES

Diagram box

Indefinite particulars + que + Imperfect Subjunctive

Buscaba **una** agencia de viajes **que** me ofreciera precios cómodos.
I was looking for a travel agency that offered me reasonable prices.

1. CONJUGATE the verbs in parentheses in the Imperfect Subjunctive.
   Example: No quería que nadie me *hiriera* el corazón.   *(herir)*

a. El señor Pérez no pensó que alguien le .... esas cosas.   (decir)

b. Los miembros del equipo buscaron que les .... en todo.   (apoyar)

c. Silvana no quiso que ninguna amiga le .... a decidir.   (ayudar)

d. Tu secretaria impidió que algún socio .... al archivo.   (entrar)

2. FORM the sentences, using indefinite words and the Imperfect Subjunctive.
   Example: Quiso (un bar / estar cerca)   *Quería un bar que estuviera cerca*

a. Necesitábamos (una intérprete / saber francés)   ....

b. Ellos pensaban en (alguien / tocar el violín)   ....

c. Yo prefería comprar (unas frutas / tener buen sabor) ....

d. ¿Viste (una indígena / vestir el atuendo típico)?   ....

3. CHOOSE the indefinite word and verb and complete the sentence in the Imperfect Subjunctive.
   Example: No hubo *nadie* que *mirara* el accidente.

ayudar	valorar	interrumpir	*mirar*	cambiar
nadie	ningún	alguien	ninguna	nada

a. Buscaban a .... que .... sus esfuerzos.

b. No deseabas .... que .... tu felicidad.

c. No quería que .... ley .... la compañía.

d. No necesitaba a .... amigo que le .... en nada.

4. ADVERBIAL CLAUSES

Indefinite Relative Pronouns		
· comoquiera	➡	*however*
· cualquier(a)	➡	*whichever*
· cuandoquiera	➡	*whenever*
· dondequiera	➡	*wherever*
· lo que quiera	➡	*whatever*
· quienquiera	➡	*whoever*

1. CHOOSE the appropriate expression and complete the sentence.
   Example: Aceptaría con gusto *lo que quiera que me ofrecieras.*

   Lo que quiera que me ofrecieras   Comoquiera que lo hiciera
   Dondequiera que trabajaras   Cualquiera que eligiera
   Quienquiera que me exigiera

a. Te iría bien ....

b. .... el resultado era satisfactorio.

c. Le pediría la renuncia a ....

d. .... iría de acuerdo con su personalidad.

2.   CONJUGATE the verbs between bars in imperfect subjunctive.
   Example: El jardinero arreglaría el césped cuandoquiera que / pedírselo /
                 El jardinero arreglaría el césped cuandoquiera que se lo pidiera.

a. Comoquiera que él / expresarlo / lo entenderían

   ....

b. Lo que quiera que tú / poner / en la mesa, lo comían

....

c. Se levantarían cuandoquiera que / poder

....

d. Saludaba a quienquiera que / entrar

....

5. CLAUSES WITH *COMO SI* (English: *as if*)

Diagram box

Present tense + Como si + Imperfect Subjunctive
Example: El habla tan bien como si fuera hispanohablante.
He speaks as well as if he were a native Spanish speaker.

Past tense + Como si + Imperfect Subjunctive
Example: Se reía como si no tuviera preocupaciones.
He laughed as if he had no worries.

Future tense + Como si + Imperfect Subjunctive
Example: Me sentiré como si estuviera en casa.
I will feel as if I were at home

Imperative + Como si + Imperfect Subjunctive
Example: Corríjale como si usted fuera su padre.
Correct him as if you were his father.

1. CHOOSE the right verb and complete the sentence.

Example: Ella cocina como si *fuera* una profesional.

ser   estar   tener   dormir   saber

a. Tengo tanta sed como si .... deshidratado.

b. Mi esposa duerme tanto, como si no .... toda la noche.

c. El sacerdote da el sermón como si .... que estamos pecando.

d. Los vigilantes nos controlan como si .... armas.

2. CONJUGATE the verbs in the Imperfect Subjunctive and complete the sentences using *como si*.

Example: Rodolfo *(comprar)* todo lo que mira *(ser)* millonario.
Rodolfo *compra* todo lo que mira *como si fuera* millonario.

a. David (apostar) todas las noches en el casino (saber jugar)

    ....

b. (despedirte) de todos (no ir a regresar nunca)

    ....

c. Ella (vestirse) elegantemente (tener alguna cita)

    ....

d. (estar nerviosos) (tener algo que ocultar)

    ....

3. IMAGINE the situation depicted below and write down the dialogue. Use the Imperfect Subjunctive.

Hoy hace tanto frío como si estuviéramos en el polo norte. ¿Qué piensas?

CONJUNCTIONS WITH IMPERFECT SUBJUNCTIVE

CONJUNCIONES CON EL PRETÉRITO EL PRETÉRITO IMPERFECTO DE SUBJUNTIVO

Diagram box

Conjunction + Imperfect Subjunctive ➡ possible past actions

Insistió **para que** el jefe le **dieran** el empleo
He insisted so that the boss would gave him the job.

1. COMPLETE the sentences with appropriate conjunctions.
Example: Habían tomado el dinero *sin que* dieran cuenta.

en caso de que   para que   en cuanto   a fin de que   *sin que*

a. Los empleados se esforzaban .... su jefe les retribuyera.

b. Decidí ir al hospital .... los médicos necesitaran mi opinión.

c. Te conté la historia de los incas .... entendieras más la cultura.

d. Comenzaríamos a ascender la montaña .... amaneciera.

2. ANSWER the questions, using conjunctions and the Imperfect Subjunctive.
   Example: ¿Cuándo iba a comunicarse?   *(Tan pronto como)*
                  Se iba a comunicar tan pronto como encontrara un teléfono.

a. ¿Os dije la verdad?   (con tal que)

   Sí, ...

b. ¿Se quedarían en el norte más tiempo?   (aunque)

   No, ...

c. ¿Cuándo huyó el ladrón de la prisión?   (antes de que)

   ....

d. ¿Qué harían si se fuera la luz?   (en caso de que)

   ....

THE CONJUNCTION - *SI* (English: *if*)

LA CONJUNCIÓN *SI*

Diagram box

Regret about actions which did not occur.

Event: Yo no viajo porque no tengo dinero.
I don't travel because I don't have money.

Si + Imperfect Subjunctive + Conditional
Si yo tuviera dinero, yo viajaría por España.
If I had money, I would travel trough Spain.

Si + Imperfect Subjunctive +Imperfect Subjunctive
Yo viajara más si yo tuviese más dinero,
I would travel more if I had more money.

Si + Imperfect Subjunctive + Imperative
Si usted tuviera usted dinero, no dude en viajar.
If you were to have more money, make sure you travel.

1. COMPLETE the sentences in the Imperfect Subjunctive.
   Example: Se podrían resolver muchos problemas si *la gente recapacitara.*

a. Habría menos crímenes violentos si ....

b. Tendríamos más libertad si ....

c. Se publicarían menos revistas pornográficas si ....

d. No habría tantos divorcios si ....

2. STRUCTURE conditional sentences according to the meaning of each one.
   Example: No leo esta revista porque no me interesa.
                  La leería si me interesara.

a. No te pones la camisa roja porque no te gusta.

   ....

b. No le decimos la verdad porque no la sabemos.

   ....

c. No progresa la sociedad porque no aplicamos las reglas.

   ....

d. Hay gente pobre porque no hay fuentes de trabajo.

   ....

THE SEQUENCE OF TENSES
WITH THE IMPERFECT SUBJUNCTIVE

1. Preterite Indicative
2. Imperfect Indicative
3. Pluperfect Indicative   +   **Imperfect Subjunctive**
4. Conditional
5. Conditional Perfect
6. Imperative (mood)

1. FOLLOW the example:
Él (decirme) que (tener) cuidado.

Él me dice que tenga cuidado.
Él me dijo / decía que tuviera cuidado.

a. Tú (esperar) que yo (mandarte) un saludo

....

....

b. (Ser) necesario que usted (llevar) el paraguas

....

....

c. El director no (pensar) que vosotros (volver)

....

....

d. Muchos no (creer) que las mujeres (ser)

....

iguales a los hombres

....

2. MARK the correct answer with an X.

Example: Me gustó que cambiara su forma de vestir.

☐ 1. Se verá mal.

☒ 2. Antes se veía mal.

☐ 3. Se ve mal.

a. Habrían sugerido que nos mudáramos.

☐ 1. No pagamos la renta.

☐ 2. No pagaríamos la renta.

☐ 3. No habremos pagado la renta.

b. ¿Sería posible que cerraran las ventanas?

☐ 1. Haría calor.

☐ 2. Habría hecho calor.

☐ 3. Hace calor.

c. Odiaba que la peinaran.

☐ 1. Le dolía la cabeza.

☐ 2. Le dolerá la cabeza.

☐ 3. Le dolió la cabeza.

d. Te apetecía que fuéramos al cine.

☐ 1. Habría buenas películas.

☐ 2. Hubiera buenas películas.

☐ 3. Había buenas películas.

THE PLUPERFECT SUBJUNCTIVE 303 - 329

THE PLUPERFECT SUBJUNCTIVE

EL PRETÉRITO PLUSCUAMPERFECTO DE SUBJUNTIVO

	"Haber" in Imperfect Subjunctive	+	Past Participle
yo	hubiera/-iese		
tú	hubieras/ -ieses		hal-**ado**
él / ella / usted	hubiera/ -iese	+	com -**ido**
nosotros (as)	hubiéramos/ -iésemos		viv -**ido**
vosotros (as)	hubierais/ -ieseis		
ellos / ellas / ustedes	hubieran/ -iesen		

1. PUT words in the right order and structure sentences in the Pluperfect Subjunctive.
   Example: / no / llegar a tiempo / me preocupó / Raúl /
   Me preocupó que Raúl no hubiera llegado a tiempo.

a. / se avergonzó de que/ Ana / esas palabras / decirle

   ....

b. / que / morir / nos dolió / sus abuelos

   ....

c. / escribir / no creían / tú / ese informe

   ....

d. / Nos satisfizo / vosotros / hacer justicia

   ....

2. CONJUGATE the verbs in parentheses in the Pluperfect Subjunctive and complete the sentences.

Example: ¿Miguel esperaba que su madre *hubiera sido* una buena mujer? *(ser)*

a. A mi jefe le satisfizo que nosotros .... el reglamento.   (aplicar)

b. A todos les gustó que los ancianos .... una buena atención.   (tener)

c. ¿Te imaginas cómo .... el mundo sin energía eléctrica?   (ser)

d. Nos habría agradado que ella .... las irregularidades.   (denunciar)

3. CHOOSE the most appropriate verb, conjugate it in the Pluperfect Subjunctive and complete the sentence.

Example: A mi amiga le sorprendió que yo *hubiera trabajado* tanto tiempo.

    a) tener   b) hacer   *c) trabajar*   d) ganar

a. Al sacerdote le enojó que la gente .... sin escucharlo.

    a) hacer   b) construir   c) salir   d) caminar

b. Al periodista le disgustó que el documental .... errores.

    a) tener   b) estar   c) ser   d) hacer

c. Ellos quisieron que el cobrador .... a su cargo.

    a) ver   b) ser   c) dar   d) renunciar

d. A todos nos alegró que .... en aquel tiempo.

    a) llover   b) llorar   c) dar   d) hacer

4. CONJUGATE the verbs in parenthesis in the Pluperfect Subjunctive and fill in the blanks.

¿Tiene sentido morir?

Juan y Margarita tenían dos hijos, Pedro y Jorge. Ellos se consideraban una familia feliz, hasta que el dolor de la muerte de su hija Lupita llegó.

Si Lupita no (tener) .... cáncer, ella no (morir) .... y tal vez ella (poder) .... ser una mujer ejemplar para su familia y amigos. Toda su familia había esperado que cuando ella (crecer) ...., (dar) .... todo lo mejor de sí, para hacer feliz a su familia.

Pero ya es tarde. Ella murió.

Si nada de esto (suceder) ...., todos (admirar) .... a Lupita.

USES

In sentence of one clause
¡Qué **hubieras disfrutado** el viaje!
I hoped you had enjoyed the trip.

In sentence of two clauses
Ellos **esperaron** que tú **hubieras disfrutado** el viaje.
They hoped that you had enjoyed the trip.

USES IN ONE CLAUSE

USE 1. **To express wishes about actions and events which could not take place.**

1. FINISH the sentences in the Pluperfect Subjunctive.
   Example: Hubiéramos ido al festival de Cannes, pero *suspendieron el vuelo.*

a. Vosotros hubierais comprendido esa pintura contemporánea, pero...

....

b. Demi Moore hubiera tenido más éxito como actriz, pero...

....

c. Los años 60 hubieran sido tan valorados, pero...

....

d. La restauración integrista se hubiera expandido, pero...

....

2. CHANGE the following sentences into the Pluperfect Subjunctive.
   Example: No comprendieron el mensaje porque no asistieron a la reunión.
              Hubieran comprendido el mensaje, pero no asistieron a la reunión.

a. No aprendió la lección porque nunca preguntó.

....

b. No viste el fin de la película porque te dormiste.

....

c. Nunca conocieron Egipto porque cambiaron su rumbo.

....

d. No conseguimos acogida del pueblo porque no hicimos campaña.

....

USE 2. In repetitive expressions

Obtained by repeating the verb in the Pluperfect Subjunctive.

1. FOLLOW the example:
decir lo que decir, / nunca le habría creído
Hubiera dicho lo que hubiera dicho, nunca le habría creído.

a. hablar como hablar, / lo habría hecho bien

....

b. estar con quien estar, / las seguirían recordando

....

c. vivir donde vivir, / te habría ido a buscar

....

d. ver lo que ver, / nunca le habríais dicho nada

....

2. PUT the words into right order and form sentences in the Pluperfect Subjunctive.

Example: / estudiar / estudiar / donde / ,   siempre sería formal al hablar.

    Hubiera estudiado donde hubiera estudiado, siempre sería formal al hablar.

a. / aprender / donde / aprender /

.... ,   sería reconocido por su personalidad.

b. / decir / lo que / decir tú /

.... ,   no habría habido ningún cambio.

c. / poner / donde / poner ustedes /

.... ,   los papeles, los habría encontrado.

d. / venir / como / venir nosotros /

.... ,   nos habría aceptado.

3. IMAGINE the situacion depicted below and write down the dialogue, using the Pluperfect Subjunctive.

USE 3. After *ojalá*. (English: if only)

Ojalá + Pluperfect Subjunctive	➡	impossible wish about actions which have not occurred

1. WRITE down expressions with *ojalá* in response to the sentences below.
   Example: No mejoró el servicio social.   *¡Ojalá hubiera mejorado!*

a. Simón Bolívar no pudo unificar la Gran Colombia.   ....

b. Este país nunca dejó de ser un país subdesarrollado.   ....

c. Los incendios destruyeron algunos bosques protectores.   ....

d. Enrique no pudo quedarse más días en Acapulco.   ....

2. FOLLOW the example:
   ¡Ojalá no / morir ellos / en el accidente! *¡Ojalá no hubieran muerto en el accidente!*

a. ¡Ojalá no practicar / la clonación!   ....

b. ¡Ojalá la eutanasia no /aceptarse /   ....

c. ¡Ojalá la gente / ser / más consecuente   ....

d. ¡Ojalá las guerras no / producirse /   ....

USE 4. To express regret about past actions. Usually in exclamation marks.

1. CHANGE the sentences into the Pluperfect Subjunctive.
    Example: No pudisteis bucear.   *¡Qué hubierais buceado!*

a. Nunca me dirigió una mirada. ....

b. Nadie supo lo que pasó. ....

c. No quisiste tomar una foto. ....

d. Ninguna persona dio la solución. ....

2. PUT words in the right order and structure sentences in the Pluperfect Subjunctive.
    Example: / gustar / a nosotros / como / volver a verte /
        ¡Cómo nos hubiera gustado volver a verte!

a. / vosotros / que / venir / hace unos minutos /

....

b. / encontrarte / que / en aquel momento /

....

c. / que / no haber / desventajas /

....

d. / como / veros cara a cara / gustar / a vosotros /

....

USES IN SENTENCES OF TWO CLAUSES

1. NOMINAL CLAUSES
2. IMPERSONAL CLAUSES
3. INDEFINITE CLAUSES
4. ADVERBIAL CLAUSES
5. CLAUSES WITH *COMO SI*

1. NOMINAL CLAUSES

Diagram box

PRINCIPAL CLAUSE	**SUBORDINATED CLAUSE**
Past Indicative	Pluperfect Subjunctive

1. Verbs of doubt

No creímos	**que**	**ustedes nos hubieran ayudado.**

We didn't believe that you would have helped us.

2. Verbs of wishing or influence

Ella esperó	**que**	**no hubiera pasado ningún accidente.**

She hoped that no accident had happened.

3. Verbs of emotion

Nos emocionó	**que**	**ellos hubieran regresado.**

We were excited by the fact that they had returned.

4. Verbs of perception

No sentía	**que**	**él me hubiera extrañado.**

I didn't feel like he had missed me.

1. CHANGE sentences from the Present into the Pluperfect Subjunctive tense.

    Example: Tememos que hayan roto la brújula.

                     Temimos que hubieran roto la brújula.

a. Dudo que haya vuelto en esas condiciones.

    ....

b. Vosotros no estáis seguros que el caballo haya muerto.

    ....

c. No piensas que la búsqueda haya sido un éxito.

    ....

d. No creemos que hayan abierto la caja de seguridad.

    ....

2. IMAGINE the situation depicted below and write down the dialogue. Use verbs that express doubt and the Pluperfect Subjunctive.

3. ANSWER the questions in the Pluperfect Subjunctive.

   Example: ¿Qué negó el editor?   *(publicar más libros)*
   El editor negó que se hubieran publicado más libros.

a. ¿A qué se oponían los actores?   (el productor cambiar el argumento)

   ....

b. ¿Qué no aceptaron?   (ponerle azúcar al café)

   ....

c. ¿Qué te aconsejaban?   (usar preservativos)

   ....

d. ¿Qué esperabais?   (cambiar el menú diario)

   ....

4. ANSWER the questions in the Pluperfect Subjunctive.

   Example: ¿Escuchaste que ella hubiera hecho aquello?
   No, no escuché que ella hubiera hecho aquello.

a. ¿Sentiste que tu amigo hubiera estado en las nubes?

   Sí, ...

b. ¿No visteis que hubiera habido una avalancha?

   No, ...

c. ¿Oísteis que hubierais ganado el premio mayor?

   Sí, ...

d. ¿Notaste que el guardaespaldas hubiera salvado la vida de la princesa?

No, ...

5. IMAGINE the situation depicted below and write down the dialogue. Use verbs of wishing and influence and the Pluperfect Subjunctive.

2. IMPERSONAL CLAUSES

— Diagram box —

Ser / Parecer + adjective + que + Pluperfect Subjunctive
Fue importante **que** hubieras participado en la reunión.
It was important that you had taken part in the meeting.

Parecía extraño **que** hubieras podido comprar un vuelo para hoy.
It seemed strange to me that you had been able to buy a flight for today.

1. CONJUGATE the verbs in the Pluperfect Subjunctive and fill in the gaps.
   Example: Había sido necesario que *(aceptar)* el contrato de trabajo.
   Había sido necesario que *hubiera aceptado* el contrato de trabajo.

a. Era dudoso que el banquero (entregar) .... todos los balances.

b. Fue preferible que mi abuelo (usar) .... el bastón.

c. Era maravilloso que Martin Luther King (abolir) .... la esclavitud.

d. Me parecía extraño que ellos (brindar) .... por lo que no habían hecho.

2. FINISH these impersonal sentences in Pluperfect Subjunctive.
   Example: No era bueno que el sacerdote *hubiera tratado* de huir.

a. Fue recomendable que el detective   ....

b. No era importante que las modelos   ....

c. No fue complicado que su prometido   ....

d. Era increíble que el rascacielos   ....

3. CHOOSE the right verb and complete the sentence in the Pluperfect Subjunctive.
   Example: *faltar / salir*
   Parecía mal que *hubieran faltado* a la clase.

dar / limpiar

a. Era útil que los vecinos .... las aceras de la calle.

aceptar / poner

b. Pareció excelente que Juan .... ese cargo.

atender / morir

c. No había sido necesario que tú lo ....

hacer / tratar

d. Parecía difícil que tú .... de imitarme.

3. INDEFINITE CLAUSES

> **Diagram box**

Indefinite particulars + que + Pluperfect Subjunctive

Buscaba **una** agencia de viajes **que** siempre hubiera ofrecido precios cómodos.
I was looking for a travel agency that would have always offered reasonable prices.

1. FINISH the sentences using the Pluperfect Subjunctive.
Example: Nosotros exigimos un crucero que *hubiera sido* acogedor.

a. Andrés necesitaba un abrazo que ....

b. En el puerto no había nada que ....

c. No conocí a nadie que ....

d. Los ejecutivos querían algo que ....

2. WRITE down sentences containg indefinite clauses in the Pluperfect Subjunctive.
   Example: No quisieron   (nada / costar)   una fortuna.
   No quisieron *nada que hubiera costado* una fortuna.

a. Antes necesitábamos   (un agente vendedor / conocer)   el mercado

....

b. Mi amiga esperaba   (algún hombre / ser)   honesto en todo

....

c. Los joyeros desearon   (alguien / trabajar)   a tiempo completo

....

d. El carpintero no quiso   (nadie / ayudarle)   en su trabajo

....

4. ADVERBIAL CLAUSES

Indefinite Relative Pronouns	
· comoquiera	*however*
· cualquier(a)	*whichever*
· cuandoquiera	*whenever*
· dondequiera	*wherever*
· lo que quiera	*whatever*
· quienquiera	*whoever*

1. PUT words in the right order and form sentences in the Pluperfect Subjunctive.
   Example: / comoquiera que venir/ le habríamos dado la bienvenida
   Comoquiera que hubiera venido, le habríamos dado la bienvenida.

a. La habríamos acogido bien / dondequiera que ella nacer

....

b. Habría sido espectacular / quienquiera que llegar al pueblo /

....

c. Habría tenido mucha imaginación / cuandoquiera que escribir el libro

....

d. Te habría perdonado / lo que quiera que hacer

....

2. CHOOSE the most appropriate relative pronoun and complete the sentence.
   Example: ***Cuandoquiera*** que hubiera llegado, lo habríamos recibido.

comoquiera	quienquiera	lo que quiera
dondequiera	***cuandoquiera***	

a. .... que lo hubiera encontrado, no lo habría reconocido.

b. .... que se hubiera expresado, lo habríamos comprendido.

c. .... que hubierais ido, os hubiera ido a buscar.

d. .... que hubiera comprado, no me habría gustado.

3. COMPLETE the sentences in the Pluperfect Subjunctive.

Example: Habría comido el postre, *comoquiera que lo hubieran preparado.*

a. Habría ido a verte, dondequiera que ....

b. Le habría ayudado a quienquiera que ....

c. Habrían permitido lo que quiera que ....

d. Le mostraremos las fotografías, cuandoquiera que ....

5. CLAUSES WITH *COMO SI* (English: *as if*)

Diagram box

Present tense + Como si + Pluperfect Subjunctive

Example: Se queja como si hubiera trabajado sin ser pagado.

He complains as if he had worked without being paid.

Past tense + Como si + Pluperfect Subjunctive

Example: Gritó como si hubiera visto un fantasma.

She shouted as if she had seen a ghost.

Future tense + Como si + Pluperfect Subjunctive

Example: Me sentiré como si hubiera sido mi casa.

I will feel as if it had been my own home.

Imperative + Como si + Pluperfect Subjunctive

Example: ¡Reclámale tan fuerte como si él te hubiera hecho daño!

Complain so much, as if he had hurt you!

1. **CHOOSE the most appropriate expression, conjugate the verb in the Pluperfect Subjunctive, and complete the sentence.**
   Example: En la Av. principal había tanta gente como si *hubiera habido un accidente.*

   no tener compasión   ensayar a menudo   *haber un accidente*
   vivenciar la historia   irte definitivamente

   a. Eduardo Galeano escribía sus obras como si ....

   b. Tú hiciste las acrobacias como si ....

   c. Anoche te eché de menos como si ....

   d. Los terroristas atacaron la ciudad como si ....

2. **STRUCTURE the sentences below using the elements in columns A and B. Use the conjunction *como si*.**

A		B
a. Hablaba de él	como si	(morirse)

   ....

b. Había empacado toda su ropa	como si	(tener) que mudarse

   ....

c. Se sintió tan ofendido	como si	(ser) nuestro padre

   ....

d. La policía controló nuestras maletas	como si	(traficar) con drogas

   ....

CONJUNCTIONS WITH PLUPERFECT SUBJUNCTIVE
CONJUNCIONES CON EL PRETÉRITO PLUSCUAMPERFECTO DE SUBJUNTIVO

Diagram box

Conjunction + Pluperfect subjunctive ➡ past action that had not occured

El insistió por el empleo **sin que** este **hubiera sido** solicitado.
He insisted for that job even though this job hadn't been offered.

1. FINISH the sentences using the Pluperfect Subjunctive, according to the meaning of the conjunction.
Example: El petróleo se exportaría, así *hubiera disminuido la producción.*

a. La ambulancia habría acudido, aunque ....

b. Habíamos esperado tanto tiempo, para que ....

c. No habría problemas, si ....

d. Escondimos las armas, en caso de que ....

e. Les habríamos escuchado, mientras ....

2. FOLLOW the example:

si no / habría salido el sol / llover
Habría salido el sol, si no hubiera llovido.

a. a fin de que / había puesto un aderezo / la comida estar deliciosa

....

b. sentirse satisfechas / con que / ellas / nos conformamos

....

c. no compraríamos aquellos cuadros / Dalí pintar / aun cuando

....

d. aunque / no se habrían emborrachado / ingerir alcohol

....

2. MARK the correct answer with an X.

Example: Aunque hubiera tenido hambre y no hubiera tenido dinero...

    1. le hubiera robado a mi madre. ☐

    2. me hubiera quedado sin comer. ☒

a. Si hubiera sido turista y no hubiera tenido amigos en el país...

    1. hubiera regresado a mi país. ☐

    2. hubiera caminado por la ciudad y conocido a alguien. ☐

b. Tan pronto como mi esposo se hubiera ido del país y todavía lo hubiera amado...

    1. le hubiera pedido que no se fuera. ☐

    2. me hubiera buscado otro hombre. ☐

c. En cuanto mi novio me hubiera traicionado....

    1. le hubiera dado un beso. ☐

    2. le hubiera dado otra oportunidad. ☐

THE CONJUNCTION - *SI* (English: *if*)

LA CONJUNCIÓN *SI*

Diagram box

Regret about actions that had not occured.

Event: No viajé porque no tenía dinero.
I didn't travel because I didn't have money.

Si + Pluperfect Subjunctive + Conditional
Si yo hubiera ganado más dinero, viajaría más.
If I had earned more money I would travel more.

Si + Pluperfect Subjunctive + Conditional Perfect
Si hubiera tenido suficiente dinero, habría viajado nuevamente.
I if I had had enough money, I would have travelled once again.

Si + Pluperfect Subjunctive + Pluperfect Subjunctive
Si hubiera ganado más dinero, hubiese viajado por más tiempo.
If I had erned more money I would have travelled for longer.

1. CHOOSE the most appropriate verb and complete the sentence.
   Example: Si *me hubiera engordado,* yo habría hecho una dieta.

hubiera engordado	se hubieran quedado	hubieras sido
hubiera. nacido	hubiéramos tratado	

a. Si tú .... como un mendigo, habrías vivido de distinta manera.

b. Yo habría organizado una revolución si .... con terroristas.

c. Vosotros seríais famosos si vuestra madre .... una actriz famosa.

d. Si ellos .... , habrían probado la comida vegetariana.

2. ANSWER the questions in the Pluperfect Subjunctive. Use full sentences.
   Example: ¿Qué habría pasado si Colón no hubiera descubierto América?
   Si Colón no hubiera descubierto América, se habría decepcionado.

a. ¿Qué habría pasado si Hernán Cortés no hubiera conquistado México en 1519?

....

b. ¿Qué habría pasado si Abraham Lincoln no hubiera liberado a los esclavos?

....

c. ¿Qué habría pasado si Franco no hubiera ganado la guerra civil en España?

....

d. ¿Qué habría pasado si no hubieran caído las bombas atómicas en Hiroshima y Nagasaki?

....

3. CHANGE the conditional sentences into the Pluperfect Subjunctive.
   Example: No habría sobrepoblación si hubiera más control natal.
   No ***habría habido*** sobrepoblación ***si hubiera habido*** más control natal.

a. Si tuviéramos más control, mejoraríamos el ambiente.

....

b. Yo viajaría por Asia si mis recursos me lo permitieran.

....

c. Si consiguiéramos una visa para Israel, lo visitaríamos.

....

THE SEQUENCE OF TENSES
WITH THE PLUPERFECT SUBJUNCTIVE

> **1.** Preterite Indicative
> **2.** Imperfect Indicative
> **3.** Pluperfect Indicative   **+**   **Pluperfect Subjunctive**
> **4.** Conditional
> **5.** Conditional Perfect
> **6.** Imperative (Mood)

1. CONJUGATE the verbs between bars in the Pluperfect Subjunctive.
   Example: No pude acariciar al bebé, sin embargo / gustarme / hacerlo
                     No pude acariciar al bebé, sin embargo *me hubiera gustado* hacerlo.

a. / subirle / la adrenalina, pero la emoción no fue fuerte.

....

b. Había sido necesario que / ser / un padre abnegado.

....

c. No tuve tanta hambre aunque / poder / comer todo.

....

d. El árbitro no notó que / faltar / un jugador en el equipo.

....

2. PAIR up expressions in columns A and B and fill in the blanks with corresponding numerals.

A	B	
a. Él no quiso ir al médico,	1. le hubiera dado mucho amor	a. ....
b. Mi perro Boby no deseaba comer,	2. le hubiera escrito una carta	b. ....
c. Está triste porque se divorció,	3. lo hubiera llamado de emergencia	c. ....
d. Se fue sin despedirse,	4. le hubiera comprado un hueso	d. ....

3. CHANGE the sentences into Pluperfect Subjunctive.
   Example: Me gusta que haya reconocido sus errores. *Me gustó que hubiera reconocido sus errores.*

a. Nos sugirieron que no revelemos el secreto. ....

b. Os encantaría que admiráran vuestras obras ....

c. No siento que su ausencia le duela tanto. ....

d. Te había extrañado que hablara así. ....

....

4. FORM a sentence for each combination of tenses.
   Example: (Plusperfect Subjunctive / Pluperfect Indicative)
   Había dormido tanto como si hubiera estado enfermo.

a. (Imperfect Indicative / Pluperfect Subjunctive)

....

b. (Conditional / Pluperfect Subjunctive)

....

c. (Preterite / Pluperfect Subjunctive)

....

d. (Conditional Perfect / Pluperfect Subjunctive)

....

The Sequence of Tenses

DICTIONARY OF VERBS

A

• Abrazar	*to hug / to embrace*
• Abrazar(se)	*to hug / to embrace (one another)*
• Abstraer	*to abstract*
• Aburrir	*to bore*
• Aburrir(se)	*to be bored / to get bored*
• Acabar	*to finish*
• Aceptar	*to accept*
• Acercar(se)	*to approach / to get closer to*
• Acertar	*to get right / to guess (rightly)*
• Aconsejar	*to advise*
• Acordar	*to agree (upon) / to remind*
• Acordar(se)	*to remember*
• Acostar	*to put to bed*
• Acostar(se)	*to go to bed*
• Acostumbrar(se)	*to get used to*
• Adaptar(se)	*to adapt o.s.*
• Adivinar	*to guess*
• Admitir	*to admit / to accept*
• Advertir	*to warn*
• Afeitar(se)	*to shave / to have a shave*
• Afirmar	*to affirm / to make firm*
• Agradar	*to gladden / to please*
• Agradecer	*to thank / to give thanks*
• Ahorrar	*to save (money)*
• Alcanzar	*to reach / to manage*
• Alegrar	*to make happy / to brighten up*
• Alquilar	*to rent / to hire (out)*
• Almorzar	*to have lunch / to have for lunch*
• Amar	*to love*
• Amar(se)	*to love (one another)*
• Andar	*to go / to walk / to go about*
• Anunciar	*to announce / to advertise*
• Añadir	*to add*
• Apagar	*to turn off / to switch off*

• Aparecer	*to appear*
• Apetecer	*to appeal to*
• Apenar	*to pain*
• Apostar	*to bet*
• Apoyar	*to support*
• Aprender	*to learn*
• Aprobar	*to approve / to pass (an exam)*
• Aprovechar	*to take advantage of*
• Apuntar	*to note down / to take notes*
• Ascender	*to ascend / to go up / to promote*
• Asegurar	*to ensure / to insure / to assure / to secure*
• Asombrar	*to amaze / to surprixse*
• Asustar	*to scare / to frighten*
• Atacar	*to attack*
• Atender	*to attend to / to look after*
• Atraer	*to attract*
• Atravesar	*to go across / to go through*
• Atribuir	*to attribute / to confer*
• Ayudar	*to help*

B

• Bailar	*to dance*
• Bajar	*to lower / to get down*
• Bañar	*to bathe / to give a bath*
• Bañar(se)	*to have a bath / to go for a swim*
• Bastar	*to suffice / to be enough*
• Batir	*to beat*
• Beber	*to drink*
• Bendecir	*to bless*
• Besar	*to kiss*
• Besar(se)	*to kiss (one another)*
• Borrar	*to erase / rub out*

- Botar — *to throw away*
- Brillar — *to shine*
- Bombear — *to pump*
- Bromear — *to joke*
- Burlear(se) — *to mock / to make fun of*
- Buscar — *to search / to look for*

C

- Caber — *to fit (into)*
- Caer — *to fall*
- Caerse — *to fall over*
- Calcular — *to calculate*
- Calentar — *to heat / to warm*
- Callar(se) — *to keep quiet / to shut up*
- Cambiar — *to change / to exchange*
- Cambiar(se) — *to change o.s.*
- Caminar — *to walk*
- Capacitar — *to qualify*
- Cansar — *to tire / to be tiring*
- Cansar(se) — *to get tired*
- Cantar — *to sing*
- Casar(se) — *to get married*
- Castigar — *tu punish*
- Ceder — *to give up / to give in*
- Cazar — *to hunt / to track down*
- Celebrar — *to celebrate*
- Cepillar(se) — *to brush*
- Cerrar — *to close / to shut*
- Cocinar — *to cook*
- Coger — *to take / to catch / to pick up*
- Colgar — *to hang / to hang up*
- Comenzar — *to begin / to commence*
- Comer — *to eat*
- Compadecer — *to feel sorry for*
- Comparar — *to compare*
- Compartir — *to share*
- Competir — *to compete*
- Complacer — *to please*
- Completar — *to complete*
- Componer — *to make up / to compose / to write*
- Comprar — *to buy*
- Comprender — *to understand / to comprehend*

- Comunicar — *to comunicate / to pass on*
- Comunicarse — *to be in touch / to get in touch*
- Concluir — *to finish / to end / to conclude*
- Conducir — *to drive*
- Confiar — *to confide / to trust*
- Conjugar — *to conjugate*
- Conocer — *to know (superficial knowledge) / to be aware of*
- Conocer(se) — *to meet / to become acquainted with / to know (one another)*
- Conquistar — *to conquer*
- Conseguir — *to manage / to obtain*
- Consentir — *to consent / to allow*
- Constituir — *to constitute / to establish / to form*
- Construir — *to build / to construct*
- Contar — *to count / to tell (story)*
- Contener — *to contain / to restrain*
- Contentar(se) — *to be content / to be satisfied*
- Contestar — *to respond / to reply / to answer*
- Contradecir — *to contradict*
- Contraer — *to contract*
- Contribuir — *to contribute*
- Convencer — *to convince*
- Convenir — *to suit / to be convenient for*
- Convivir — *to live together / to cohabit*
- Corregir — *to correct*
- Correr — *to run / to flow*
- Corromper — *to corrupt*
- Cortar — *to cut / to shorten*
- Coser — *to sew*
- Crecer — *to grow / to rise*
- Creer — *to believe / to think so*
- Criticar — *to criticise*
- Cruzar — *to cross*
- Cubrir — *to cover*
- Cuidar — *to look after*
- Cuidar(se) — *to look after o.s.*
- Cumplir — *to fulfil / to turn (age)*

Dictionary of Verbs

D

• Dañar	*to damage*
• Dar	*to give*
• Dar pena	*to hurt (emotion)*
• Dar(se) cuenta de	*to realise*
• Deber	*to owe / to ought to / must*
• Decaer	*to decline / to weaken*
• Decir	*to say*
• Dedicar	*to dedicate / to devote*
• Deducir	*to deduct*
• Defender	*to defend*
• Definir	*to define*
• Dejar	*to leave / to let*
• Dejar de	*to stop / to give up*
• Demandar	*to demand / to sue*
• Demostrar	*to show / to demonstrate*
• Depender de	*to depend on*
• Desagradar	*to displease*
• Desayunar	*to have breakfast*
• Descansar	*to rest*
• Descomponer	*to decompose / to break down*
• Desconocer	*to not know / to not recognise*
• Descubrir	*to discover*
• Desear	*to wish (for) / to desire*
• Deshacer	*to undo / to take to pieces / to destroy*
• Despedir	*to fire / to sack*
• Despedir(se)	*to say goodbye*
• Despertar	*to wake*
• Despertar(se)	*to wake up*
• Desvestir	*to undress*
• Desvestir(se)	*to get undressed*
• Destituir	*to dismiss (s.o. from office)*
• Destruir	*to destroy / to demolish*
• Detener	*to detain / to stop / to delay / to arrest*
• Diagnosticar	*to diagnose*
• Dibujar	*to draw*
• Discutir	*to discuss / to argue*
• Disgustar	*to be disliked by / to displease*
• Distribuir	*to distribute / to spread*
• Divertir	*to amuse / to entertain*
• Divertir(se)	*to have fun / to enjoy*

• Dividir	*to divide / to share out*
• Divorciar(se)	*to get divorced*
• Doler	*to hurt / to ache*
• Dormir	*to sleep*
• Dormir(se)	*to fall asleep*
• Dudar	*to doubt*

E

• Echar	*to throw / to dismiss*
• Elegir	*to choose / to elect*
• Emborrachar(se)	*to get drunk*
• Emocionar	*to excite / to move*
• Empezar	*to start / to begin*
• Emplear	*to employ*
• Empujar	*to push*
• Enamorar(se)	*to fall in love*
• Encantar	*to delight*
• Encender	*to light / to turn on / to set fire to*
• Encontrar	*to meet / to find*
• Encontrar(se)	*to meet (one another)*
• Enfadar	*to make s.o. cross*
• Enfadar(se)	*to get cross*
• Enojar	*to anger*
• Enojar(se)	*to get angry*
• Enseñar	*to teach / to show*
• Entender	*to understand*
• Entender(se)	*to understand (one another) to get on with*
• Entrar	*to enter / to come in*
• Entregar	*to give in / to submit*
• Entrenar	*to train (sport)*
• Entretener	*to entertain / to amuse*
• Entristecer	*to sadden*
• Enviar	*to send / to mail*
• Equivocar(se)	*to make a mistake / to be mistaken*
• Esconder	*to hide*
• Escribir	*to write*
• Escuchar	*to listen*
• Esforzar(se)	*to make an effort / to push oneself*
• Esperar	*to hope / to wait / to expect*

• Estar	to be(temporary state)
• Estudiar	to study
• Evitar	to avoid
• Exigir	to demand / to request
• Existir	to exist
• Explicar	to explain
• Extender	to extend / to stretch / to spread out
• Extrañar	to miss

F

• Faltar	to be lacking / to be absent
• Fascinar	to fascinate
• Fastidiar	to annoy / to be a nuisance
• Fingir	to feign / to pretend
• Firmar	to sign
• Freir	to fry
• Fumar	to smoke

G

• Ganar	to win
• Gastar	to spend / to use
• Girar	to turn
• Gobernar	to govern / to rule
• Golpear	to hit / to punch
• Gozar	to enjoy
• Grabar	to record
• Gritar	to shout
• Gustar	to be liked by / to please
• Guardar	to keep
• Guíar	to guide

H

• Haber	to have
• Hay que	to have to, / must
• Hablar	to talk / to speak
• Hacer	to do / to make
• Hacer falta	to be missed / to be needed
• Hacer(se)	to become / to pretend
• Halar	to pull
• Halagar	to flatter
• Herir	to injure / to wound
• Hervir	to boil
• Huir	to flee / to run away

I

• Identificar	to identify
• Imaginar	to imagine
• Impedir	to prevent / to hinder
• Importar	to matter
• Imponer	to impose
• Incluir	to include
• Indicar	to indicate / to point at
• Influir	to influence
• Insistir	to insist
• Iniciar	to initiate
• Inundar	to flood
• Intentar	to try / to attempt
• Interesar	to interest
• Intervenir	to intervene / to take part
• Introducir	to introduce
• Invitar	to invite
• Ir	to go
• Ir a	to be going to
• Ir(se)	to leave / to depart

J

• Jabonar(se)	to soap o.s.
• Jugar	to play
• Jubilar(se)	to retire
• Juntar	to join
• Jurar	to swear
• Juzgar	to judge
• Justificar	to justify

L

• Lamentar	to regret / to be sorry about
• Lanzar	to throw / to launch
• Lavar	to wash

Dictionary of Verbs

• Lavar(se)	*to wash o.s / to have a wash*
• Leer	*to read*
• Levantar	*to lift / to raise*
• Levantar(se)	*to get up / to stand up*
• Localizar	*to locate / to localise*
• Lograr	*to achieve / to manage to*
• Llegar	*to arrive*
• Llenar	*to fill*
• Llamar	*to call*
• Llevar	*to carry / to take / to wear*
• Llevar(se)	*to run off with / to take*
• Llorar	*to cry*
• Llover	*to rain*

M

• Maldecir	*to curse / to speak ill*
• Manejar	*to manage / to handle /to drive*
• Manifestar	*to protest / to manifest*
• Mantener	*to keep / to preserve / to maintain*
• Maquillar(se)	*to put make up on*
• Mandar	*to send / to order s.o.*
• Marchar	*to march*
• Marchar(se)	*to go away, to leave*
• Matar	*to kill*
• Medir	*to measure*
• Mentir	*to lie*
• Merecer	*to deserve*
• Merendar	*to have supper*
• Mezclar	*to mix / to stir*
• Mirar	*to look at*
• Mirar(se)	*to look at o.s.*
• Mojar	*to wet / to soak / to dampen*
• Mojar(se)	*to get wet*
• Molestar	*to bother / to annoy*
• Morir	*to die*
• Mostrar	*to show*
• Mover	*to move*
• Mudar(se)	*to move house*
• Multiplicar	*to multiply*

N

• Nadar	*to swim*
• Nacer	*to be born*
• Navegar	*to navigate*
• Negar	*to deny / to refuse*
• Negociar	*to negotiate*
• Nevar	*to snow*
• Necesitar	*to need*
• Notar	*to notice*

O

• Obedecer	*to obey*
• Obligar	*to force / to oblige*
• Observar	*to observe*
• Obtener	*to obtain / to get*
• Odiar	*to hate*
• Ofrecer	*to offer*
• Oir	*to hear*
• Oler	*to smell*
• Olvidar	*to forget*
• Olvidar(se)	*to forget*
• Opinar	*to think / to opine*
• Oponer	*to oppose*
• Oponer(se)	*to be opposed*
• Organizar	*to organise*
• otorgar	*to issue*

P

• Pagar	*to pay*
• Parar	*to stop / to quit*
• Parar(se)	*to stand (up) / to stop o.s.*
• Parecer	*to seem / to look like*
• Partir	*to divide / to split*
• Pasar	*to pass / to happen / to spend (time)*
• Pedir	*to ask for / to order*
• Pegar	*to stick (on) / to hit*
• Peinar	*to comb*
• Peinar(se)	*to comb one's hair*
• Pensar	*to think*

• Percibir	*to perceive*
• Permitir	*to allow / to permit*
• Perseguir	*to chase / to pursue / to persecute*
• Pesar	*to weigh*
• Perder	*to lose / to miss / to waste*
• Planificar	*to plan*
• Poder	*to be able to / can*
• Poner	*to place / to put / to lay*
• Poner(se)	*to put on*
• Poseer	*to own / to have*
• Practicar	*to practice*
• Predecir	*to foretell / to predict*
• Preferir	*to prefer*
• Preguntar	*to ask*
• Prender	*to turn on / to switch on*
• Preocupar	*to worry*
• Presentar	*to introduce / to present*
• Prestar	*to lend*
• Prevenir	*to prevent*
• Pretender	*to claim / to try to*
• Probar	*to try / to taste / to prove*
• Probar(se)	*to try on*
• Producir	*to produce*
• Prohibir	*to forbid*
• Prometer	*to promise*
• Proponer	*to propose*
• Proteger	*to protect*
• Provocar	*to provoke*
• Pudrir	*to rot*

Q

• Quebrar	*to break (glass etc)*
• Quedar	*to remain / to be left*
• Quedar(se)	*to stay*
• Quejar(se)	*to complain / to make a complaint*
• Querer	*to want / to love*
• Querer(se)	*to love (one another)*
• Quitar	*to take away / to remove*
• Quitar(se)	*to take off (clothes)*

R

• Realizar	*to carry out / to make / to achieve / to perform*
• Recaer	*to fall back / to relapse*
• Rechazar	*to refuse / to dismiss (opinion)*
• Recoger	*to collect / to pick up / to harvest*
• Recomendar	*to recommend*
• Reconocer	*to recognise / to acknowledge*
• Recordar	*to remember / to remind*
• Reducir	*to reduce*
• Reelegir	*to choose the same again / to reelect*
• Regresar	*to return / to come back*
• Rehacer	*to redo / to remake / to repeat*
• Reir	*to laugh*
• Repetir	*to repeat*
• Reponer	*to replace*
• Reprobar	*to retake (exam)*
• Rescatar	*to rescue*
• Resolver	*to solve / to resolve*
• Respirar	*to breathe*
• Responder	*to answer*
• Respetar	*to respect*
• Respetar(se)	*to respect (one another)*
• Retener	*to keep / to retain / to withold*
• Retribuir	*to pay*
• Rogar	*to pray / to plead*
• Romper	*to break*

S

• Saber	*to know*
• Sacar	*to take out / to withdraw /*
• Sacar(se)	*to take off*
• Salir	*to go out / to leave*
• Saltar	*to jump / to dive*
• Saludar	*to greet*
• Saludar(se)	*to greet (one another)*
• Satisfacer	*to satisfy / to placate*
• Secar	*to dry*
• Secar(se)	*to dry o.s.*
• Sentar(se)	*to sit / to sit down*

- Seguir — *to follow / to continue*
- Sembrar — *to sow*
- Sentir — *to feel / to be sorry*
- Sentir(se) — *to feel (o.s.)*
- Separar(se) — *to separate (from one another)*
- Ser — *to be*
- Servir — *to serve / to wait on*
- Simpatizar — *to like (s.o.)*
- Sobrar — *to be left over*
- Sobresalir — *to stick out / to stand out*
- Sobrevivir — *to survive*
- Soler — *to usually*
- Solicitar — *to apply for / to solicit*
- Soltar — *to let go of / to drop*
- Sonar — *to sound / to ring*
- Soñar — *to dream*
- Sonreir — *to smile*
- Soportar — *to bear / to support*
- Sorprender — *to surprise*
- Sostener — *to support / to sustain*
- Subir — *to go up / to take up*
- subraer — *to underline / to emphasise*
- Sufrir — *to suffer*
- Sugerir — to suggest
- Suplicar — to beg (favour) / to ask for
- Suponer — to suppose

T

- Temer — to fear
- Tener — to have
- Tener que — to have to
- Tener miedo — to be afraid
- Tirar — to pull
- Tocar — to touch / to play (instrument)
- Tomar — *to take / to drink*
- Toser — *to cough*
- Trabajar — *to work*
- Traducir — *to translate*
- Traer — *to bring / to carry*
- Tratar — *to try*

U

- Ubicar — *to locate*
- Unir — *to join / to unite*
- Unificar — *to unite*
- Usar — *to use*
- Utilizar — *to use / to utilise*

V

- Valer — *to be worth / to be valid / to be of use*
- Vender — *to sell*
- Venir — *to come*
- Ver — *to see*
- Ver(se) — *to see each other / to meet*
- Vestir — *to dress / to wear*
- Vestir(se) — *to get dressed*
- Viajar — *to travel*
- Vivir — *to live*
- Volar — *to fly*
- Volver — *to return*
- Volver(se) — *to turn round / to return /*

....

NSWERS

CAPÍTULO 1

11. THE ALPHABET
1. libre.
2. a. helado b. naranja c. paraguas d. perro.

13. GENDER AND NUMBER
1. a. gatas b. hermanas c. hijas d. primos e. tías f. osas g. niñas h. muñecos.
2. a. femenino b. masculino c. masculino d. femenino e. masculino f. masculino g. femenino
   h. femenino
3. a. femenino / singular b. femenino / singular c. femenino / plural.

15. THE ARTICLE
1. a. la b. el c. el d. el e. la f. el g. el h. la.
2. a. unas b. unos c. la d. el.
3. a. los b. una c. el d. la.

16. THE NOUN
1. a. auto b. puente c. artesanías d. flores.
2. a. la serpiente b. la sartén c. la bicicleta d. los lentes e. el regalo f. los globos.

18. THE ADJECTIVE
1. a. tranquilo b. difíciles c. inteligente d. bonitas e. moderno f. sucia.
2. libre.
3. a. grande b. pequeño c. gordo d. delgado e. feliz f. triste.

20. THE BASIC PHRASE
1. a. los problemas difíciles b. la hora exacta c. una mujer ejecutiva d. la invitación formal.
2. a. la / una secretaria eficiente b. el / un helado rico c. los / unos anteojos grandes
   d. las / unas manos blancas.
3. a. Los papeles limpios b. Las ciudades grandes c. El hombre guapo d. El bosque gigante.

22. THE VERB SER
1. a. es b. son c. eres d. somos e. es f. son g. soy h. son.
2. a. soy b. es c. sois d. eres e. es f. somos g. son h. es.
3. eres, soy, es, es, es.

24. THE VERB ESTAR
1. a. estoy b. está c. estáis d. están e. estamos f. están g. está h. está.
2. a. 3 b. 4 c. 5 d. 2 e. 1.
3. libre
4. a. está b. está c. estás d. están.

26. DIFERENCIA ENTRE SER Y ESTAR
1. a. estoy b. sois c. está d. estoy e. son f. es g. son h. está.
2. están, son, están, es, es, están, es, está, es.
3. libre.
4. a. es, está b. es, está c. somos, estamos d. es, está e. es, está f. soy, estoy g. sóis, estáis
   h. son, están.
5. a. Hola soy Ana y ¿tú? b. ¿Cuál es tu profesión? c. ¿Estás triste? d. ¿Cómo estás? e. ¿Dónde
   estás?

29. THE SENTENCE
1. a. Vosotros estáis en el cine. b. Los sombreros son blancos. c. Las manzanas están en el plato. d. El pez es de varios colores.
2. a. sí sois gordos. b. sí estoy cansado. c. sí estamos aquí. d. sí es alta.
3. a. Sí, Lima es la capital del Perú. b. Sí,nosotros estamos en la plaza. c. Sí,todos son mis com pañeros. d. Sí, es temporada de invierno en mi país.

31. THE NEGATIVE SENTENCES
1. a. No, el mapa no es de nuestro país. b. No, los pantalones no son de tela. c. No, la playa no está al sur. d. No, el pintor no es salvadoreño.
2. a. Las calles no están tranquilas. b. Vosotros no sois traviesos. c. El teléfono no está en la mesa. d. Tú no estás enfermo.
3. a. no estáis alegres. b. no está aquí. c. no eres protestante. d. no somos casados.

33. THE INTERROGATIVE SENTENCES
1. a. ¿Son protestantes varios europeos? b. ¿Está en el jardín usted? c. ¿Eres amigo de Sofía tú? d. ¿Son rosadas las flores?
2. libre.
3. a. ¿Ellos son de Noruega? / ¿Son ellos de Noruega? b. ¿Las rosas están en el jarrón? / ¿Están las rosas en el jarrón? c. ¿Tú estás triste? / ¿Estás tú triste? d. ¿Los guantes son de piel? / ¿Son de piel los guantes?

35. DEMONSTRATIVE ADJECTIVES AND PRONOUNS
1. a. estás b. eso c. esos d. este.
2. a. esa b. esta c. este d. estas.

36. POSESSIVE ADJECTIVES
1. a. Las llaves son suyas. b. Estos vasos son míos. c. Esta silla es tuya. d. Este auto es vuestro.
2. a. tuya b. vuestro c. mío d. suya.
3. a. No, no es nuestro, es de mi padre. b. No, no son suyas, son de Sandra c. No, no son suyos, son de mi hermana d. No, no es la suya, es la de Mozart.

CAPÍTULO 2

41. THE PRESENT.- Regular Verbs
1. a. miro, mira, miramos, miráis b. corro, corre, corremos, corréis, c. abro, abre, abrimos, abrís, d. camino, camina, caminamos, camináis.
2. a. cantan, canta, cantáis b. viajamos, viajas, viaja c. leo, lees, leen d. escribís, escribe, escribo
3. libre.
4. a. En Argentina bailan mejor el tango. b. Fumo veinte cigarrillos cada día. c. El tren parte de aquí al mediodía d. Comparto mis secretos con mi mejor amiga.
5. a. viajan, comparten b. es, visitan, pregunta, ayuda.

46. THE PRESENT.- Irregular Verbs
46. GROUP 1
1. a. piensan b. pierden c. comienza d. recomienda.
2. a. sugieren b. siembran c. calienta d. despiertan.
3. libre.

48. GROUP 2
1. a. río, ríes, ríe, reímos b. sirvo, sirves, sirve, c. desvisto, desvistes, desviste, d. repito, repites, repite.
2. a. consigue b. corrigen c. freímos d. compiten.

3. a. Elijo productos biodegradables porque no contaminan. b. Las mujeres españolas visten elegantemente. c. Los topógrafos miden las calles. d. Consigues los boletos para la ópera en la oficina
principal.

50. GRUPO 3

1. a. cuelga b. truena c. demuestran d. suelen.
2. a. acuerdan b. puede c. juega d. suenan.
3. a. encuentran b. mueren c. recuerdo d. huelen.
4. a. Los países nórdicos cuentan con una economía estable. b. Estos edificios muestran una gran
arquitectura. c. Tú cuelgas los vestidos en el ropero. e. Stefi Graff juega profesionalmente al tenis.

52. GROUP 4

1. a. El gobierno mantiene en buen estado los monumentos. b. ¿Cuántos habitantes tiene África?
c. No conviene usar otras estrategias. d. El payaso entretiene a los niños.
2. a. decís, dicen, digo b. viene, venimos, viene c. contiene, contienen, contiene d. tienen, tienen,
tenéis.
3. a. No, no conviene cambiar de empleados. b. A veces la televisión entretiene a la gente. c. Este
paquete contiene galletas. d. Las víctimas maldicen a llos ladrones.
4. a. previenen b. tiene c. contradecís d. obtiene.

55. GROUP 5

1. a. quepo, cabe, cabemos, cabéis, b. doy, da, damos, dais c. hago, hace, hacemos, hacéis, d. pongo,
pone, ponemos, ponéis.
2. a. De este país desconozco las tradiciones. b. Sí, caben bastantes personas en ese tren. c. Finjo
cuando es necesario. d. La naturaleza protege el medio ambiente.
3. a. doy, dan, dais b. deduce, deducimos, deduce c. coge, coges, cojo d. crecen, crece, crecen.
4. a. propone b. trae c. conoce d. protege.

58. GROUP 6

1. a. contribuyen b. destruye c. distribuyen d. huyen.
2. a. contribuyen b. constituye c. huyen d. concluye.
3. a. Sí, los niños constituyen el futuro del mundo. b. Ecuador distribuye el mejor banano. c. La
reunión concluye a las once. d. El ejército destituye al presidente.

60. GROUP 7

1. a. no eres alegre b. no veo televisión c. no va al estadio d. no oís el noticiero.
2. a. van, va, vas b. oímos, oye, oyes c. soy, sóis, son.

62. INTERROGATIVE WORDS

1. libre.
2. Horizontal: 2. por qué 4. quién 6. cuántos 7. qué 8. cómo.
Vertical: 1. dónde 3. cuándo 5. qué 6. cuál.

68. BASIC GRAMATICAL STRUCTURES

1. libre.
2. a. No, no podemos cantar canciones en otro idioma. b. Elena piensa cambiarse el color de cabello.
c. Preferimos leer libros de ficción. d. Puedes ver ruinas de los incas en Perú.
3. a. prefieren b. suele c. necesito d. podéis.
4. a. tienen b. tiene que c. tienen que d. tienen.
5. a. Los niños tienen bastante energía. b. Tenemos tanto calor por la calefacción. c. Tengo que poner
las estampillas en el sobre. d. Los deportistas tienen que hacer deporte.
6. a. Nosotros vamos a asistir a un concierto. b. Las flores pronto van a expirar. c. Nosotros vamos a
llamar a los bomberos en este caso. d. Va a caer una lluvia torrencial.
7. libre.
8. a. estoy mirando, estáis mirando b. están bebiendo, estamos bebiendo c. estáis bailando, están
bailando d. estoy abriendo, está abriendo.

9. a. Sí, las horas están pasando lentamente. b. El periodista está escribiendo un libro. c. El vendedor está ofreciendo nuevos productos. d. El gato está molestando al perro.
10. a. 2 b. 1 c. 4 d. 3.
11. a. En la vida es más importante tener salud. b. En la mañana es obligatorio desayunar nutritiva mente. c. En la noche es más peligroso caminar solo. d. En el mundo es loco usar drogas.
12. es, trabaja,es,ayuda, es, regresa, exclama, necesito, pasa, necesitas, son, tienen, tienes, tienes, es, quieres, tengo, mira, voy, creo, tiene,ve, dice,es.

71. THE GERUND
1. a. caminando b. poniendo c. yendo d. diciendo e. durmiendo f. conociendo g. viendo h. sabiendo i. estando.
2. a. utilizando b. llorando c. jugando d. sintiendo.

CAPÍTULO 3

75. REFLEXIVE VERBS
1. a. se cepillan, me cepillo, nos cepillamos, te cepillas b. se ponen, me pongo, nos ponemos, te pones c. se sienten, me siento, nos sentimos, te sientes d. se quedan, me quedo, nos quedamos, te quedas
2. se levanta, se ducha, se cepilla, se seca, se sienta, se viste, se despide, se va, se ríe, sentirse, se para, se acuesta, se duerme.
3. a. reírse b. bañarse c. enfadarse / enojarse d. levantarse e. lavarse f. vestirse.
4. a. se pone b. se quejan c. se peina d. me aburro.
5. a. se llama b. quedamos c. se lleva d. se duerme.

78. RECIPROCAL VERBS
1. a. Ellos se aman. b. Nosotros nos miramos. c. Ellos se saludan. d. Ellas se abrazan.
2. a. se respetan b. nos queremos c. se aman / se entienden d. conoce.
3. a. encontrarse / recíproco b. cepillarse / reflexivo c. ducharse / reflexivo d. llamarse / recíproco

80. THE DIRECT OBJECT
1. a. te b. me c. las d. la.
2. a. Tracy las repite. b. Usted lo pide a la mesera. c. Las descubren en Sudamérica. d. Voy a devolverlos a la biblioteca.
3. a. Los pongo en la peinadora. b. Las compro porque son buenas para la salud. c. La preparo para fortalecerme. d. La hace con condimentos.
4. me, lo, los, los, los, los, te, los.

82. THE INDIRECT OBJECT
1. a. Le traigo una manzana. b. Elena nos canta una canción. c. Ellos están planificándole / le están planificando. d. Susana va a donarles / les va a donar.
2. a. La fundación les construye un albergue. b. Te organizo una cena el jueves. c. El camarero les sirve las bebidas. d. Sí, los participantes le dan aplausos.
3. a. El guardia le entrega las llaves. b. Las costureras nos diseñan los vestidos. c. La abuela les pone alpiste. d. El gerente os hace los folletos.

85. TWO OBJECT PRONOUNS
1. a. El pintor va a dibujarlo a su esposa. / El pintor va a dibujarle un cuadro. b. Ellos están tocándolo para los asistentes. / Ellos están tocándoles el rondador. c. El guía lo da (a mí) / El guía me da un equipo de andinismo. d. El médico la pone a Pedro. / El médico le pone una inyección.
2. libre.
3. a. Aquí se los preparamos. b. Ellos nos la están planificando / están planificándonosla. c. Tu hija te lo regala. d. El camarero va a servírmelo / me lo va a servir.
4. a. La peluquera va a cortárselo / se lo va a cortar. b. Sí, Pavaroti se la canta. c. La abuela me lo

está leyendo / está leyéndomelo. d. Sí, mi novio suele mirármelos / me los suele mirar.

5. te, te, te, nos, te, te, le, le, le, le, me, te.

89. THE VERB GUSTAR

1. a. les gusta b. te gusta c. me gustan d. nos gustan.
2. a. A los pájaros les gustan las flores. b. A mí me gusta correr por la naturaleza. c. A vosotros os gustan los panecillos que hace la abuela. d. A nosotros nos gusta el orden.
3. a. No me gusta la política porque destruye la paz. b. Los fines de semana le gusta preparar lasagña. c. Sí, nos gustan los deportes de aventura. d. Me gusta más el café.

91. VERBS USED WITH INDIRECT OBJECT

1. a. les importa b. me agradan c. le fascinan d. nos interesa.
2. a. nos desagrada b. les preocupan c. les sorprende d. te gusta.
3. a. A Bill Gates le sobra el dinero. b. Sí, me molesta cuando alguien me grita. c. Me encanta ir a ferias internacionales porque conozco a mucha gente. d. A todos les interesa cuidar el ecosistema.

92. THE SHORT FORM OF ADJECTIVES

1. a. tercer b. buena c. primeros d. buen.
2. a. grande b. mal c. Santa d. primero.

94. INDEFINITE ADJECTIVES AND PRONOUNS

1. a. No, nadie trae las frutas para la ensalada. b. No, ninguno de estos escultores es alemán. c. No, no puedo prestarte ningún libro para leer. d. No, ninguna mujer es machista.
2. a. alguna b. ninguna c. algún d. alguien.
3. a. ningún b. alguna c. algunos d. ninguna.

CAPÍTULO 4

99. THE IMPERATIVE FORM "USTED - USTEDES"

1. a. recuerde, recuerden b. piense, piensen c. conozca, conozcan d. concluya, concluyan.
2. a. ponga b. cocine c. fría d. añada e. revuelva f. agregue g. saque h. sirva i. acompañe.
3. traigan, pónganlas, cuenten, tenga, haga, déjala.
4. libre.

102. THE IMPERATIVE FORM "TÚ"

1. libre
2. a. ten b. ve c. observa d. asiste.
3. a. apaga, haz, estudia b. sal, pon, desayuna c. prepara, cocina, pon.

104. THE IMPERATIVE FORM "VOSOTROS"

1. a. tened b. haced c. sed d. venid e. estad f. huid.
2. libre.
3. a. comprended b. usad c. encended d. haced.

106. THE IMPERATIVE FORM "NOSOTROS"

1. a. pongamos b. salgamos c. demos d. estemos e. construyamos f. vayamos.
2. a. protejamos b. cuidemos c. apaguemos d. enviemos.
3. libre.

107. THE NEGATIVE IMPERATIVE FORM "USTED-USTEDES"

1. a. no hagan b. no sean c. no coman d. no traigan.
2. a. No amen a sus enemigos. b. No hable mal de la gente. c. No llamen a la policía durante la noche. d. No vaya a la iglesia si está enojado.
3. a. No fumen un paquete de cigarrillos. b. No haga el contrato de trabajo. c. No pongan los pies en la mesa. d. No haga las cosas sin pensar.

Answers

109. THE NEGATIVE IMPERATIVE FORM "TÚ"
1. a. no oigas b. no veas c. no enciendas d. no compres.
2. a. No digas malas palabras aquí. b. No apuestes dinero en el casino c. No vayas al museo, está cerrado. d. No salgas tarde de la oficina.

111. THE NEGATIVE IMPERATIVE FORM "VOSOTROS"
1. 1. a. no vengáis b. no declaréis c. no juguéis d. no comáis.
   2. a. no dañéis b. no hagáis c. no consumáis d. no fuméis.
2. a. No conduzcáis sin luces. b. No vengáis a esta hora. c. No almorcéis muy tarde. d. No comáis muchos dulces.

112. THE NEGATIVE IMPERATIVE FORM "NOSOTROS"
1. 1. a. tratemos b. pongamos c. lleguemos d. seamos.
   2. a. causemos b. desarreglemos c. dejemos d. dañemos.
2. a. No fumemos dentro de la casa. b. No consumamos bebidas alcohólicas. c. No hablemos mal de la gente. d. No conduzcamos a alta velocidad.

114. THE NEGATIVE IMPERATIVE WITH PRONOUNS
115. THE NEGATIVE IMPERATIVE WITH REFLEXIVE PRONOUNS
1. a. pongámonos, poneos, no te pongas b. no se saque, sáquense, sácate c. no nos vistamos, no te vistas, no os vistáis d. péinate, no nos peinemos, péinense.
2. 1. a. levántate b. ponte c. cepíllate d. despídete.
   2. a. siéntense b. no se equivoquen c. no se enfaden d. no se olviden.

117. THE NEGATIVE IMPERATIVE WITH DIRECT OBJECT PRONOUNS
1. a. cómalas, cómanlas, comedlas, b. no la conózca, conózcanla, no la conozcas c. no lo esperemos, no lo esperéis, no lo esperen d. no las lea, leámoslas, no las leas.
2. a. ponlas b. devuélvanlos a Soledad. c. encuéntrame en el parque. d. no los traigan a casa.

119. THE NEGATIVE IMPERATIVE WITH INDIRECT OBJECT PRONOUNS
1. a. Cómprame una guitarra. b. Prepárenos la torta. c. Démosle órdenes. d. Traednos los juguetes.
2. a. Préstenos su cámara por un momento. b. No les entreguen las cartas. c. No les compren carame los. d. Cómprame ese paraguas, por favor.

121. THE IMPERATIVE WITH TWO OBJECT PRONOUNS
1. a. dádnoslas, no nos las deis, dénnoslas b. pídaselo, pídeselo, no se lo pidas c. tráiganselo, traédse lo, no se lo traigáis d. escribídsela, no se la escribáis, escríbansela.
2. a. Señor, preséntenoslos. b. General, déselas. c. Tráemelo del Perú. d. Arquitecto, constrúyaselo.
3. a. salir, salga, sal, no salgas, no salgáis b. reírse, ríase, ríete, no te rías, no os riáis c. comenzar, comience, comienza, no comiences, no comencéis d. mentir, mienta, miente, no mientas, no mintáis e. responder, responda, responde, no respondas, no respondáis f. ponerse, póngase, ponte, no te pongas, no os pongáis g. irse, váyase, vete, no te vayas, no os vayáis h. tocar, toque, toca, no toques, no toquéis i. colgar, cuelgue, cuelga, no cuelgues, no colguéis j. tener, tenga, ten, no tengas, no tengáis k. elegir, elija, elige, no elijas, no elijáis l. vestirse, vístase, vístete, no te vistas, no os vistáis m. dormirse, duérmase, duérmete, no te duermas, no os durmáis n. hacer, haga, haz, no hagas, no hagáis o. ser, sea, sé, no seas, no seáis.
4. a. Compren el computador a los niños. / Cómprenselo. b. Haced el favor a la tía. / Hacédselo.
   c. Rente el departamento a nosotros. / Réntennoslo. d. Diseña el vestido a mí. / Diséñamelo.

124. ADVERBS
1. a. Los avances se observan fácilmente en grandes países. b. El panorama se divisa mejor desde aquí. c. Los padres creen siempre tener la razón. d.Saldremos cuando deje de llover.
2. a. mucho b. siempre c. mal d. cerca.
3. a. frecuentemente b. varias c. despacio d. a menudo.

126. THE DIMINUTIVE AND THE AUGMENTATIVE
1. a. velita b. Miguelito c. florcita d. pobrecito e. mesota f. papelote g. cartota h. librote.
2. a. perrote b. librotes c.regalote d. besotes.
3. a. grandote b. altote c. lejotes d. gordote.

128. COMPARATIVES AND SUPERLATIVES
1. a. Marlene es mas guapa que Lucrecia b. El aluminio no es tan duro como el metal c. Suiza no expor
ta tantas máquinas como produce d. Ese hombre es más simpático de lo que imaginaba.
2. a. que b. de c. de d. como.
3. a. más b. tan c. más d. tanto.
4. a. tanta / como b. menos / que c. tan / como d. mismos.

CAPÍTULO 5

134. THE PRETERITE
1. a. caminaron, caminé, caminamos, caminaste b. subieron, subí, subimos, subiste c. recibieron, recibí,
recibimos, recibiste d. comieron, comí, comimos, comiste.
2. a. salió b. gastasteis c. abrió d. preparamos.
3. a. hablaron b. recomendé c. compramos d. escribió.
4. El martes pasado nuestra familia se levanto muy temprano para empezar un día normal. Como siem
pre me duché, me cepillé los dientes, me peiné, me arreglé y luego desayuné con toda mi familia.
Mi madre preparo un desayuno especial con jugo de frutas naturales, leche, pan y un poco de queso y
mermelada, yo le agradecí a mi madre, porque ella me preparó algo nutritivo.
Después de desayunar tomé mi cartera, me despedí de mis padres con un beso en la mejilla y alegre
salí a trabajar.

136. IRREGULAR VERBS
1. a. fuisteis, fui, fuiste, fuimos b. fuisteis, fui, fuiste, fuimos c. disteis. di, diste, dimos.
2. a. fueron b. di c. fuiste d. fueron.

137. EXTREMELY IRREGULAR VERBS WITH A PATTREN
1. a. detuve, detuvieron, detuvimos, detuviste b. traduje, tradujeron, tradujimos, tradujiste c. predije,
predijeron, predijimos, predijiste.
2. a. redujo b. dieron c. deshizo d. intervino.
3. a. construyó b. produjo c. condujo d. hubo.
4. a. Anita tradujo el texto en alemán. b. No, no pude encontrar la dirección. c. Los jefes no hicieron
nada. d. Anduve por el centro de la ciudad la semana pasada.
5. libre.

140. SEMI-IRREGULAR VERBS
140. GROUP 1
1. a. sentir, sentimos sentí, sintieron, sentisteis b. corregir, corregimos, corregí, corrigieron, corregis-
teis c. dormir, dormimos, dormí, durmieron, dormisteis.
2. a. sugirieron b. consiguieron c. consintió d. murió.
3. a. divirtieron b. se despidieron c. murieron d. sentiste.

142. GRUPO 2
1. a. creyó b. cayó c. influyeron d. destruyeron.
2. a. creyeron b. distribuyeron c. construyeron d. influyó.
3. a. cayeron b. creyeron c. huyó d. decayeron.

144. GRUPO 3
1. a. buscamos, buscar, busqué, buscasteis, buscaste b. pagamos, pagar, pagué, pagasteis, pagaste

    c. comenzamos, comenzar, comencé, comenzasteis, comenzaste d. tocamos, tocar, toqué, tocasteis, tocaste.

2. a. colgué b. colocaste c. me acerqué d. localizaron.

3. a. No, no juzgué mal a los políticos de mi país. b. Felipe empezó la discusión de hoy. c. No, ninguna vez me atacaron en mi vida. d. Sí, mis amigos se movilizaron en bicicleta por el sur.

146. THE IMPERFECT

1. a. traía, traían, traíamos, traías b. cogía, cogían, cogíamos, cogías c. decía, decían, decíamos, decías, d. daba, daban, dábamos, dabas.

2. a. íbamos, iba, iban b. almorzaban, almorzaba, almorzaba c. leía, leían, leía d. trabajaba, trabajaban, trabajabais.

3. a. Eran las cuatro de la mañana y montábamos todos a caballo. Antes de las seis debíamos alcanzar la altura de las montañas occidentales que nos proponíamos subir. El frío era intenso y hablábamos poco porque parecía que las palabras nos hacían perder algo de nuestro calor interno.

148. USE 1

1. a. Todos estaban levantando las manos hacia arriba. b. La señora Susana estaba discutiendo por todo. c. El perro estaba ladrando a la gente. d. La nieve estaba cayendo como copos.

2. a. La migración era importante. b. El payaso hacía reír a su público. c. El pescador recogía bastante pescado. d. Decían que valía la pena.

3. a. volaba b. dibujaban c. dormía d. era.

149. USE 2

1. a. Normalmente ellos tomaban yogurt con cereales b. El príncipe visitaba frecuentemente a los huérfanos c. El juez sentenciaba a menudo a los delincuentes d. Nosotros normalmente respirábamos con dificultad.

2. a. sabía b. conocía c. sabías d. sabías.

3. libre.

151. USE 3

1. a. 4 b. 2 c.1 d. 3

2. Era, tenía, comenzaba, representaba, era, era, constaban.

3. a. Ellos protestaban por la tala indiscriminada de bosques b. Martin Lutero cuestionaba los manejos de la iglesia católica c. La sabiduría se basaba en la ciencia experimental d. Charles Chaplin poseia un sentido del humor original.

153. USE 4

1. libre

2. a. ¿Deseabas algo para traerte? b. ¿Ella necesitaba un libro de Allende? c. ¿Los padres querían pedir algo especial? d. ¿Tu venias a pedirle un consejo?

154. USE 5

1. a. dormían b. caminaba c. practicaba d. queríamos. (Posición contraria: libre)

2. a. 3 b. 4 c. 1 d. 2.

3. a. buscaba / pregunto b. deseaba / hice c. tenía / fui d. caminaba / te ví.

156. USE 6

1. a. Se sintio mal porque estaba sin oxígeno b. No interviniste en el diálogo porque no sabías que decir c. Picasso fue tan famoso porque mostraba su sensibilidad d. La chica se desmayó en el bus porque estaba embarazada.

2. libre.

158. USE 7

1. a. viajábamos / pensábamos b. hacíais / preparaba c. practicaban / miraba d. os duchábais / seleccionaba.

2. a. Mientras Natalia compra zapatos, Sofía la miraba atentamente. b. La gente hacía cola mientras

las secretarias conversaban. d. El policía corría mientras el ladrón se escaba rápidamente. e. Cuando el semáforo se ponía en rojo, los peatones cruzaban la calle.
3. a. 4 b. 2 c. 1 d. 3.

160. USE 8
1. a. No, no estaba segura que iba a ganarlo. b. Sí, creían que iban a obtener prestigio. c. Pensé que debía aprovechar la ocasión en la fiesta. d. Queríamos visitar a una amiga.
2. libre.
2. a. quería / fue b. pensaba / tuvo c. tenía / hubo d. deseaba / terminó.

161. USE 9
1. a. Los abogados contaron que siempre le hacían firmar al juez. b. Vosotros afirmasteis que teníais bastante frío. c. La señora Hernández aseguró que no tomaba medicinas. d. Tú indicaste que se íban esta noche al concierto.
2. libre.
3. a. estaba cansado b. no tenía ganas de salir. c. era su día libre. d. siempre tenías la razón.

163. DIFFERENCES BETWEN THE PRETERITE AND THE IMPERFECT
1. a. estaba, huyeron b. sabía c. durmió d. había.
2. descansaban,surgió, se lanzaron, se convirtieron, pudieron, ató, fue, quiso, fueron.
3. a. sentía b. tenía / era c. dijo / iba d. era / hacía / estaba.
4. era, gustaba, creía, era, había, hablaba, parecía, iba, vi, era, hablaba.
5. a. pude b. era c. molestaba d. hiciste.

166. THE PRESENTE PERFECT
1. a. ha construido b. ha participado c. han escrito d. ha influido.
2. ha vuelto, ha visto, ha quedado, ha posado, ha nacido, ha volado.
3. libre.

168. USO 1
1. a. ha resuelto b. habéis visto c. ha escrito d. ha muerto.
2. a. ¿Tú has participado en esa obra teatral? / No, nunca he participado. b. ¿Alguien ha escrito algo sobre la guerrilla? / Sí, un periodista ha escrito. c. ¿Cuándo ha grabado su obra de arte el pintor? / Este mes el pintor la ha grabado. d. ¿Pavarotti ha cantado en un concierto? / Sí, este año Pavarotti ha cantado.
3. a. hemos hecho b. he visto c. han puesto d. ha dicho.

170. USO 2
1. a. No, todavía no hemos viajado por este país b. Sí, ya la han preparado. c. Sí, ya lo he visto. d. No, aún no he participado.
2. a. 2 b. 4 c. 3 d. 1.

171. USO 3
1. a. El señor Flores tiene experiencia en ser futbolista porque ha entrenado durante varios años, ha asistido a cursos de capacitación, ha participado en muchos partidos y ha conseguido varios trofeos a nivel internacional.
2. libre.

172. USO 4
1. a. ha hecho b. ha aceptado c. han resuelto d. habéis ocasionado.
2. a. La gente ha votado por un cambio. b. La policía ha deportado a muchos emigrantes. c. Muchos niños han muerto de hambre en África. e. Los reyes de España han viajado por Etiopía.

173. USO 5
1. a. Los republicanos han ganado las elecciones en Estados Unidos. b. Mucha gente ha organizado una manifestación c. Federico y Luis han llegado de Brasil hace poco. d. El jardinero ha podado las flores por la mañana.

Answers

2. a. Te han confirmado que alguien se ha llevado las joyas. b. Nos han comunicado que han prepara
do el pastel. c. La policía ha informado que ha encontrado el cadáver. d. Mi vecino dice que han
puesto un café internet cerca.

174. USO 6
1. a. El instructor ha salido de su casa. b. El avión ha llegado al aeropuerto. c. Los ciudadanos han
votado. d. La fábrica ya ha perdido estabilidad.
2. a. renunciar b. hacer c. ganar e. exhibirse.

175. THE PLUPERFECT
1. a. habían dicho b. había ayudado c. te habías identificado d. había muerto.
2. a. se habían equivocado b. había viajado c. había tomado d. se habían escapado.
3. a. Yo nunca había patinado de esa manera. b. ¿Quién no había cometido errores? c. Los críticos
habían analizado la obra de Hemingway. d. Milán Kundera había escrito algunas obras de teatro.

178. USO 1
1. a. se había quemado b. había preparado c. había cerrado d. habían aprendido.
2. Pedro Peña había sido un ladrón, pero había prometido no robar más.
Había trabajado en la parroquia. Había sido un campanero y a veces había hecho de monaguillo.
Un día había llegado un vicario al pueblo. Pedro se había fijado en seguida que el vicario había
tenido un magnífico reloj de oro que le había regalado un obispo.
Pedro nunca había visto un reloj tan bonito como aquél porque en el pueblo todo el mundo había
tenido relojes normales.
La tentación había sidio demasiado grande para él. Se había pasado los días pensando en el reloj
hasta que había ocurrido lo inevitable: Le había robado el reloj al vicario y luego le había confesa
do su delito.

179. USO 2
1. a. ¿Cuando llegó Juan, vosotros ya habíais comido? / Sí, ya habíamos comido. b. ¿ Ustedes habían
tenido miedo después de la media noche? / No, no habíamos tenido miedo. c. ¿Tú ya habías visto a-
quella escena de terror? / Sí, la había visto. d. ¿Vosotros habíais abierto la caja fuerte sin autoriza-
zación? / No, nosotros no la habíamos abierto.
2. a. había pasado b. habían visitado c. había estado e. habían mordido.

180. USO 3
1. a. Afirmaron que habían ganado las elecciones. b. Anunció que había hecho el bautizo de su bebé.
c. Opinaron que había bajado la inflación. d. Imaginó que había cumplido su función.
2. a. Afirmó que había cenado en familia. b. Informó que no había encontrado trabajo. c. Aseguraron
que habían regresado de Venezuela hace un mes. d. Confirmaron que la habían encontrado mi direc
ción.
3. salió, terminaba, se sentía, pensó, salía, iba, encontraba, se dirigió, tenía, se puso, entró, se sentó,
tenía, llevaba, parec´´ia, leía, se puso, preguntó, ha encontrado, dijo, había visto, preguntó, contestó,
desapareció.
4. a. sentirse, me sentí, me sentía, me he sentido, me había sentido b. tener, tuviste, tenías,
has tenido, habías tenido c. ir, fueron, iban, han ido, habían ido d. poner, puso, ponía, ha puesto,
había puesto e. venir, vine, venía, he venido, había venido f. volver, volviste, volvías, has vuelto,
habías vuelto g. estar, estuvimos, estábamos, hemos estado, habíamos estado h. saber, supieron,
sabían, han sabido, habían sabido i. ver, viste, veías, has visto, habías visto j. hacer, hice, hacía,
he hecho, había hecho k. querer, quisiste, querías, has querido, habías querido l. traducir, tradujiste,
traducías, has traducido, habías traducido m. dormir, durmieron, dormían, han dormido,
habían dormido n. ser, fui, era, ha sido, había sido.

184. THE NEUTRAL ARTICLE "LO"
1. a. Lo que me sorprende es mi paciencia. b. Lo pasamos estupendamente. c. No, no creo que sólo
lo mío tiene valor. d. Porque lo de Juan tenía riesgo.

2. a. Sí, lo de ese momento fue increíble b. Sí, lo del entusiasmo es lo mejor. c. Sí, lo del Medio Oriente fue un desastre. d. Sí, la cita fue de lo más divertida. e. Sí, lo del sacerdote me pare ció mal. f. Sí, lo del periódico tiene importancia. g. Sí, lo del sábado fue vergonzoso. h. Sí, lo del sobrino es muy triste.

3. a. peor b. difícil c. bueno d. justo.

CAPÍTULO 6

189. THE FUTURE

1. a. olvidaré, olvidarás, olvidará, olvidaréis b. creeré, creerás, creerá, creeréis c. preferiré, preferirás, preferirá, preferiréis d. recibiré, recibirás, recibirá, recibiréis.

2. a. estaré b. se desteñirá c. ofrecerán d. ahorraré.

3. a. Elena saldrá a esta hora porque estará cansada. b.No, no habrá menos contaminación en los próximos años. c. Los jugadores podrán firmar el contrato la próxima semana. d. El "V Congreso de Médicos" se hará en el Hospital General.

4. libre.

5. a. heredará b. defenderán c. pasará d. podrás.

192. OTHERS WAYS TO EXPRESS FUTURE

192. CASE 1

1. a. va a vistar b. van a explorar c. vais a exportar d. van a ver.

2. a. El árbitro va a conducir el partido de fútbol. b. Usted va a trabajar en un albergue de niños. c. El carpintero va a hacer muebles de pino. d. La bailarina va a presentar un espectáculo.

193. CASE 2

1. a. puede ganar b. quieren salir c. espera encontrar d. deben proteger.

2. a. prefiere b. piensan c. quiere d. deben.

194. CASE 3

1. a. hay que, deben, tienen b. tienen, deben, hay c. debe, tiene.

2. a. Hay que conseguir éxito. b. Debe tomar agua. c. Los médicos tienen que trabajar. d. Tengo que obtener fama.

195. CASE 4

1. a.Tomamos un desacanso por la tarde. b. Los expedicionarios llegan mañana. d. Esta mermelada probamos pronto. e. Los deportistas entrenan después.

2. libre.

197. USES

197. USE 1

1. iremos, viajaremos, encontraremos, tomaremos, vivremos, almorzaremos, iremos, visitaré, querrá, visitarán, regresaremos.

2. a. elegirán b. daréis c. iré d. pondrás.

198. USE 2

1. a. deberás b. llegarás c. participarás d. trabajarás.

2. a. pagarás b. desearás c. pagaréis d. fumarán.

199. USE 3

1. a. ¿Estarán durmiendo todos? b. ¿Costará cien mil dólares? c. ¿Irá a 150 km / hora? d. ¿Vendrán treinta personas?

2. a. 3 b. 4 c. 1 d. 2 e. 5.

200. USE 4

1. a. ¿Las enfermeras tomarán la decisión? b. ¿Ellos estarán pensando comprar una casa? c. ¿La

vendedora pensará cambiar? d. ¿Habrá un accidente en la esquina?

2. a. ¿Habrá una protesta? b. ¿Estarán pasando bien? c. El clima estará frío? d. ¿Irá a una reunión?

201. THE FUTURE PERFECT

1. a. habrás cambiado, habremos cambiado, habréis cambiado, habrán cambiado b. habrás sido, habremos sido, habréis sido, habrán sido c. habrás descubierto, habremos descubierto, habréis descu bierto habrán descubierto d. te habrás ido, nos habremos ido, os habréis ido, se habrán ido.
2. a. habrá abierto b. me habré jubilado c. se habrá puesto d. se habrá destruido.
3. libre.
4. a. habrá informado b. habrán pintado c. habrá puesto d. habrán usado.

203. USES

203. USE 1

1. a. ¿Habréis bromeado de las personas gordas? b. ¿Habrán hecho servicio voluntario? c. ¿Habrá completado los requisitos del viaje? d. ¿Habrás dejado de usar sombrero?
2. a. ¿Habrá fallecido algún familiar? b. ¿No te habrá gustado? d. ¿Habréis disfrutado el crucero?

204. USE 2

1. a. habrá hecho b. habrán dedicado c. habréis decorado d. habrá organizado.
2. a. Ella me habrá besado, pero yo no sentí nada. b. Ellos se habrán equivocado, pero tú no te diste cuenta. c. Tú habrás evitado el estrés, pero te vimos mal. d. Lucy habrá escuchado ruidos extraños, pero no tuvo miedo.

205. THE CONDITIONAL

1. a. daría, darías, darían, daríamos b. leería, leerías, leerían, leeríamos c. serviría, servirías, servirían, serviríamos d. enviaría, enviarías, enviarían, enviaríamos.
2. a. fracasaría b. danzarían, c. podríamos d. curaría.
3. a. se pondrían las botas b. lo diríamos c. llamarían a la policía d. yo tendría cuidado.

207. USES

207. USE 1

1. libre.
2. a. 3 b. 5 c. 2 d. 1

208. USE 2

1. a. las encontrarías b. tendrías c. bailaría d. lo perdonaríais.
2. libre.

209. USE 3

1. a. tendría b. recomendaría c. asustaría d. sugeriría.
2. deberías, tendría, recomendaría, podrías, podría.

210. USE 4

1. a. ¿Morirían los marineros en el accidente? b. ¿Caerían los precios de las exportaciones? c. ¿La secretaria sería una aficionada al buceo? d. ¿Muchos estarían equivocados?
2. a. ¿Le gustaría el girasol? b. ¿Roberto abonaría el manzano? c. ¿Sería entusiasta? d. ¿Trabajaría en Santiago antes?

211. USE 5

1. a. complacería b. imitaríamos c. formarían d. patinarías.
2. a. Comprarían un traje b. Comentaría el parido c. Actuarías frente a todos. d. Soñarías con fantas mas.

212. USE 6

1. a. Mónica informó que los acompañaría al teatro. b. Él indicó que esta noche pasearía por la plaza. c. Yo advertí que iría a la fiesta de octubre en Alemania. d. Los diseñadores anunciaron que crea rían nuevos diseños.
2. a. El periodista aseguró que daría información confidencial. b. Yo imaginé que se extinguirían más animales. c. El panadero dijo que la masa estaría dura. d. El experto afirmó que la nueva tecnolo-

gía ayudaría.

3.   a. Los cocineros indicaron que cambiarían los ingredientes. b. Mi prima anunció que trabajaría hasta las once. c. Yo supuse que comprarían los zapatos italianos. d. Usted dijo que preguntaría la dirección a un policía.

214. USE 7
1.   a. tendría b. habría c. estaría d. pondría.
2.   libre.

216. THE CONDITIONAL PERFECT
1.   libre.
2.   a. habrían ido b. habría hecho c. habría descubierto d. habríais repetido.
3.   a. habríamos ido b. habría hecho c. habrían estado d. se habría quedado.

218. USES
218. USE 1
1.   a. habría hecho b. se habría dormido c. habrían sonado d. habrían realizado.
2.   a. pero contigo me habría divertido más. b. No los conocimos, pero nos habría encantado conocerla. c. él nos la habría dado de todos modos. d. él la habría tocado en tu lugar.

219. USE 2
1.   a. ¿Cuándo lo habríais terminado vosotros? b. ¿Cuánto habría aceptado usted? c. ¿Cuándo habría empezado la conferencia? d. ¿Cómo lo habría preparado yo?
2.   a. ¿Habría escuchado una broma? b. ¿No habrían tenido cuidado? c. ¿Habría atacado la guerrilla? d. ¿Le habría faltado azúcar?

220. USE 3
1.   a. En mi país habría sido del 5%. b. El mensajero habría entregado menos. c. La película habría durado dos horas. e. La red de juego habría costado cincuenta dólares.
2.   a. habría ido b. habríais tenido c. habrías comprado d. habría pesado.

221. USE 4
1.   a. habría sido b. habría agradado c. habría alegrado d. habría complacido.
2.   libre.

222. THE PREPOSITIONS
1.   a. desde b. de c. desde d. de.
2.   a. a b. en c. sin d. para.
3.   a. a b. contra c. a d. en.
4.   de, de, en, en, de, en, de, a ,del, en, de, en, con, en, de, de, a, en, a, del, por.

224. DIFFERENCES BETWEN POR AND PARA
1.   a. por b. para c. para d. por e. para f. por g. para h. por.
2.   a.por lo visto b. no está para nadie   c. por fin d. no es para tanto.
3.   a. por b. para c. por d. por.
4.   para, por, para, por, para, por, para, para, para, para.

227. THE ACTIVE VOICE AND THE PASIVE VOICE
1.   a. "La Maja Desnuda" fue pintada por Goya. b. Niños latinos son adoptados por europeos. c. La ley será aprobada por el congreso. d. Los terroristas habían sido capturados. e. Los problemas han sido resueltos por los analistas. f. El proyecto ya fue terminado por ellos. g. Los resultados ya han sido analilzados por los médicos. h. Las estadísticas serían leídas en el noticiero.
2.   a. Se construyó el puente con hormigón armado. b. Los trajes se han enviado a la tintorería. c. La aduana registrará el equipaje. d. El portero abrirá la puerta.

CAPÍTULO 7

231. THE PRESENT SUBJUNCTIVE
1. a. trabajen b. cambie c. se lleve d. sean.
2. a. vayas b. caiga c. den d. haya.
3. a. seamos b. esté c. sea d. esté.

233. USES IN SENTENCES OF ONE CLAUSE

233. USE 1
1. a. !Qué viva nuestro presidente! b. !Qué cante otra canción! c. !Qué haya paz y amor entre nosotros!
2. El presidente sale al balcón y dice al pueblo: ¡Qué viva la Patria!, ¡Qué trabajen mejor! y todos responden: ¡Qué viva! ¡Qué Dios guíe a nuestro presidente!

234. USE 2
1. a. Sea como sea, son amigos. b. Estén donde estén, se sentirán a gusto. c. Diga lo que diga Juan, no me enoja. d. Vengas cuando vengas, te esperaremos pacientemente.
2. a. se comporten b. gane c. opinen d. tome.

235. USE 3
1. libre.
2. a. 4 b. 1 c. 3 d. 2.
3. a. ¡Ojalá la ganen! b. ¡Ojalá lo culpen! c. ¡Ojalá tenga algo interesante! d. ¡Ojalá me eches de menos!

237. USE 4
1. a. Posiblemente la zanahoria también la tenga. b. Puede que la venta sea buena. c. Probablemente las ardillas también los almacenen. d. Puede ser que la música romántica también contribuya al descanso.
2. a. Posiblemente se realice el proyecto del bus ecológico. b. Tal vez cambie de mentalidad después del viaje. c. Probablemente haya otra vida después de la muerte. d. Quizá la gente se vuelva vegetariana en el futuro.
3. a. 4 b. 1 c. 2 d. 3.

239. USO 5
1. a. No rechacemos la propuesta. b. Vayamos a la fiesta. c. No aceptemos la corrupción. d. No des organicemos lo realizado.
2. a. abusemos b. sigamos c. tomemos d. descansemos e. salgamos.

240. USES IN SENTENCES OF TWO CLAUSES

240. NOMINAL CLAUSES
1. a. haya b. cause c. sea d. bostece.
2. a. ¿Piensa usted que la discusión termine pronto? / No, no creo que termine pronto.
    b. ¿Les parece a ustedes que habrá tormenta? / No, no nos parece que haya tormenta. c. ¿Temes tú que se produzca un incendio? / No, no temo que se produzca un incendio. d. ¿Creéis vosotros que llueva esta tarde? / No, no creemos que llueva esta tarde.
3. a. Sus pades le prohiben a Gustavo que fume. b. Mi esposo prefiere que me quede en casa. c. Los estudiantes me piden que vaya con ellos a la biblioteca. d. Nuestra profesora confía en que presen temos la tarea a tiempo.
4. a. Nos alegra que sigas las reglas de la religión. b. Me halaga que él me regale rosas rojas.
    c. Le hace falta que le den masajes relajantes. d. Les entristece que haya niños pobres.
5. a. libre.
6. a. haya b. destruya c. deis d. esté.

244. IMPERSONAL CLAUSES

1. a. se elimine el hambre en el mundo. b. el uso del internet facilite la comunicación. c. la tecnología sea mejor en veinte años. d. la contaminación destruya el medio ambiente.
2. a. lleves b. dé c. sean d. cambiéis.
3. a. No es lógico que vosotros bebáis alcohol antes de conducir. b. Es increíble que los europeos via jen por todo el mundo. c. No es agradable que los compañeros critiquen a los otros colegas. d. Es fantástico que nosotros tengamos una buena amistad.

246. INDEFINITE CLAUSES

1. a. Yo quiero algo que enfríe la bebida. b. El jefe prefiere alguna secretaria que tenga buenas cualidades. c. Necesitamos un socio que se preocupe por la empresa. d. Nosotros no tenemos a nadie que pague por nuestros servicios.
2. a. sean b. sepa c. pueda d. quieran.
3. libre.

247. ADVERBIAL CLAUSES

1. a. 1 b. 3 c. 2 d. 4
2. a. Quienquiera que venga dile que no estoy. b. Cualquier idea que sea !díganmela! c. Cuando-quiera que vengas, nos encantará. d. Lo que quiera que leas, debe ser interesante.

249. CONJUNTIONS WITH PRESENT SUBJUNCTIVE

1. a. cuando b. a menos que c. en cuanto d. hasta que.
2. libre.
3. a. vengo b. llore c. levanta d. mire.

251. THE SEQUENCE OF TENSES

1. a. aprenda b. organicemos c. vaya d. sientas.
2. a. os encontréis b. me dirija c. te comportes d. admita.
3. Queremos que la cooperativa de agricultores del país ofrezca buen servicio de reparto a domicilio de frutas, verduras frescas y nutritivas.
   Que sus productos no contengan sustancias químicas ni tóxicas. Que los vendan directamente al consumidor y que no se aproveche del cliente.

CAPÍTULO 8

255. THE PRESENT PERFECT SUBJUNCTIVE

1. a. hayan muerto b. haya ganado c. haya dado d. hayan recibido.
2. a. hayan podido b. haya amado c. hayas puesto d. haya sido.
3. a. No, no creo que haya habido machismo. b. No, no nos parece que la hayan fumado. c. No, no me interesa vivir en una sociedad que la haya eliminado. d. No, no nos alegra que las mujeres hayan demostrado ser intelectuales.

257. USES IN SENTENCES OF ONE CLAUSE

257. USE 1

1. a. ¡Qué lo haya podido encontrar! b. ¡Qué lo hayan pasado! c. ¡Qué haya estado bien la operación! d. ¡Qué haya aumentado!
   nuestro capital!
2. a. ¡Qué lo hayan encontrado! b. ¡Qué hayan podido regresar! c. ¡Qué lo hayan tenido! d. ¡Qué haya habido esa talla!

258. USE 2

1. a. Hayan dormido o no hayan dormido, se ven cansados. b. Hayas visto o no hayas visto, no me importa. c. Hayan perdido lo que hayan perdido, lo habrán recuperado. d. Hayamos bebido o no

hayamos bebido, nos duele la cabeza.
2. a. hayan ganado b. os hayáis reído c. hayas hecho d. haya muerto.

259. USE 3
1. a. haya sido b. haya tenido c. hayan puesto d. hayas estado.
2. a. ¡Ojalá lo haya tenido! b. ¡Ojalá la haya ganado! c. ¡Ojalá hayas ahorrado lo suficiente!
    d. ¡Ojalá lo hayáis limpiado!

260. USO 4
1. a. Quizá el postre haya sido muy nutritivo. b. Tal vez nosotros no lo hayamos permitido tampoco.
    c. Puede ser que los millonarios hayan ido a la luna. d. Probablemente el bufón también haya
    hecho reír a los niños.
2. a. hayan elegido b. haya dependido c. hayan tenido d.hayan dominado.

262. USES IN SENTENCES OF TWO CLAUSES
1. a. se hayan esforzado b. hayas hecho c. hayan sido d. haya costado.
2. a. Los conductores no piensan que el tráfico haya disminuido. b. Le parece que el empleado le
    haya causado problemas. c. Los escépticos no creen que Jesús haya muerto por nosotros. d. Te-
    memos que las lluvias hayan afectado las cosechas.
3. libre.
4. a. Nadie se opone a que hayamos adoptado un niño. b. Algunas autoridades reprueban que ustedes
    hayan roto los vidrios. c. No todos niegan que hayas hecho lo correcto. d. Yo no permito que
    hayáis dado otra explicación.
5. a. haya disminuido b. se haya recuperado c. hayan bajado d. haya terminado.
6. a. 3 b. 4 c. 2 d. 5 e. 1.

266. IMPERSONAL CLAUSES
1. libre.
2. a. Es increíble que yo haya aceptado casarme contigo. b. Es útil que el ama de casa haya compra
    do la lavadora. c. Es una vergüenza que el gobierno no haya respetado los derechos humanos.
    d. Es natural que usted haya llorado de emoción.

268. INDEFINITE CLAUSES
1. a. Ella prefiere un producto que haya sido importado. b. Tú eliges unos platos que ya hayan
    sido probados. c. No hay ningún mexicano que no haya bebido tequila. d. Yo busco a un coci-
    nero que haya preparado guacamole.
2. a. una / haya exportado b. alguna / haya pasado c. alguien / haya escuchado d. nadie / haya
    hecho.

269. ADVERBIAL CLAUSES
1. a. Dondequiera que lo hayan escondido ustedes, lo encontraré. b. Lo que quiera que haya admiti-
    do, no le creas. c. Comoquiera que hayas hecho la fotografía, saldrá bien. d. Quienquiera que ha-
    ya golpeado a una mujer, es mala persona.
2. a. quienquiera / hayas decidido b. cualquier / hayas elegido c. dondequiera / haya estado.
    d. lo que quiera / haya hecho.

270. CONJUNTIONS WITH PRESENT PERFECT SUBJUNCTIVE
1. libre.
2. libre.
3. haya optado, la hayan impulsado, hayan confiado, haya decidido.
4. libre.

272. THE SEQUENCE OF TENSES WITH THE PRESENT PERFECT SUBJUNCTIVE
1. a. ha parecido b. encanta c. cambia d. admitiré..
1. a. Nos agrada que el cielo haya estado despejado. / Nos ha agradado que el cielo haya estado des-
    pejado. b. Es justo que el niño haya recibido el castigo. / Ha sido justo que el niño haya recibido

el castigo. c. Todos están felices que hayas triunfado. / Todos han estado felices que tú hayas triunfado. d. Es increíble que el imperio de los incas haya sido inmenso. / Ha sido increíble que el imperio de los incas haya sido inmenso.

CAPÍTULO 9

277. THE IMPERFECT SUBJUNCTIVE
1. a. sugirieran, prefirieran, sintieran, vinieran b. sugiriera, prefiriera, sintiera, viniera c. sugiriéramos, prefiriéramos, sintiéramos, viniéramos d. sugirieras, prefirieras, sintieras, vinieras.
2. a. muriera b. tomáramos c. actuallizara d. lo bañarais.
3. a. La doctora les recomendó que guardaran reposo, que tomaran todas las medicinas como ella las ordenara,que no abusaran del alcohol y del cigarrillo,que regresaran a la próxima consulta.
   b. Mi madre me aconsejó que no pusiera la ropa en el piso, que lavara todo lo que estuviera sucio, que ordenara mi habitación, que arreglara bien la vajilla y cocinara algo especial para el aniversario de la abuela.
4. a. A mí me preocupó que los jóvenes fumaran drogas. b. Le pareció excelente que el gerente acep tara la propuesta. c. Se aconsejó que los jóvenes tuvieran más control. d. Los ecologistas pidieron que no destruyeran la naturaleza.

279. USES IN SENTENCES OF ONE CLAUSE
279. USE 1
1. a. hubiera b. pensaran c. cambiara d. estuvieran.
2. a. ¡Cómo quisiera vivir en Costa Rica! b. ¡Qué todo el mundo cambiara su forma de actuar!
   c. ¡Por ustedes hiciera lo imposible! d. ¡Qué volviera a tener mi antigua casa!

281. USE 2
1. a. 3 b. 1 c. 4 d. 2.
2. a. 2 b. 1 c. 2 d. 1.

282. USE 3
1. a. Estuviera o no estuviera aburrido, nunca lo diría. b. Hicieras lo que hicieras, te perdonaban siempre. c. Se saludaran o no se saludaran, vivían juntas. d. Lo leyera quien lo leyera, lo entendería.
2. a. se vistieran b. fumarais c. viniera d. permitieran.

283. USE 4
1. a. ¡Ojalá las guerras terminaran pronto! b. ¡Ojalá la televisión no mostrara publicidad! c. ¡Ojalá la prensa fuera positiva! d. ¡Ojalá los gatos pudieran bailar!
2. a. regresara b. pudieran c. fuera d. escribiera.
3. a. No, no lo conocemos, pero ojalá lo conociéramos. b. Sí, va a deportarlos, pero ojalá no los deportara. c. No, no tiene que convenir, pero ojalá conviniera con él. d. No, no está de acuerdo, pero ojalá lo estuviera.

284. USO 5
1. a. 4 b. 2 c. 1 d. 3.
2. libre.
3. a. ¿Pudieran ayudarme? b. ¿Pudieras decirme donde está el correo postal? c. ¿Pudiera encontrar esos papeles? d. ¿Pudieras traerme un café?
4. pudiera, quisiera, pudiera, le diera.

287. USES IN SENTENCES OF TWO CLAUSES
287. NOMINAL CLAUSES
1. a. tuviera b. pusieran c. se rompiera d. abriera.

2. a. No nos parece interesante que ese escritor también pinte. / No nos parecía interesante que ese escritor también pintara. b. Ellos temen que sus vecinos no los acepten. / Ellos temían que sus vecinos no los aceptaran. c. El escultor no está seguro que su obra sea buena. / El escultor no estaba seguro que su obra fuera buena. d. Vosotros no pensáis que el agua con gas sea mejor / Vosotros no pensabais que el agua con gas fuera mejor.

3. libre.

4. a. Me satisfizo que mi hijo fuera excelente alumno. b. A los bomberos les disgustó que no los llamaran a tiempo. c. Nos encantó que saltaran los delfines . d. Mi esposa odiaba que fuera desordenado.

5. libre.

6. a. 4 b. 3 c. 1 d. 2.

290. IMPERSONAL CLAUSES

1. a. Era tiste que no hubiera mejores trabajos ni salarios. b. Era una imprudencia que los niños hicieran ruido en el hospital. c. Era lamentable que no hubiera control de natalidad. d. Era extraño que tú pensaras vivir solo en una isla.

2. a. obligatorio / estudiara b. lamentable / perdieran c. una vergüenza / dijera d. urgente / tomaras.

3. a. 1 b. 2.

292. INDEFINITE CLAUSES

1. a. dijera b. apoyaran c. ayudara d. entrara.

2. a. Necesitábamos una intérprete que supiera francés. b. Pensaban en alguien que tocara el violín. c. Yo prefería comprar unas frutas que tuvieran buen sabor. d. ¿Viste una indígena que vistiera el atuendo típico?

3. a. alguien / valorara b. nada / interumpiera c. ninguna / cambiara d. ningún / ayudara.

294. ADVERBIAL CLAUSES

1. a. dondequiera que trabajaras b. comoquiera que lo hiciera c. quienquiera que me exigiera d. Cualquiera que eligiera.

2. a. Comoquiera que lo expresara, lo entenderían. b. Lo que quiera que pusieras en la mesa, lo comían. c. Se levantarían cuandoquiera que pudieran. d. Saludaba a quienquiera que entrara.

295. CLAUSES WITH "COMO SI"

1. a. estuviera b. durmiera c. supiera d. tuviéramos.

2. a. David apuesta en el casino como si supiera jugar. b. Te despides de todos como si no fueras a regresar nunca. c. Ella se viste elegantemente como si tuviera alguna cita. d. Estaban nerviosos como si tuvieran algo que ocultar.

297. CONJUNTIONS WITH IMPERFECT SUBJUNCTIVE

1. a. a fin de que b. en caso de que c. para que d. en cuanto.

2. libre

299. THE CONJUNCTION "SI"

1. libre.

2. a. Te la pondrías si te gustara. b. Se la diríamos si la supiéramos. c. Progresaría si las aplicáramos. d. No la habría si hubiera fuentes de trabajo.

300. THE SEQUENCE OF TENSES WITH THE IMPERFECT SUBJUNCTIVE

1. a. Esperas que te mande un saludo. / Esperabas (esperaste) que te mandara un saludo.
b. Es necesario que usted lleve el paraguas. / Fue (era) necesario que usted llevara el paraguas.
c. El director no piensa que vosotros volváis. / El director no pensaba (pensó) que vosotros volvierais. d. Muchos no creen que las mujeres sean iguales a los hombres. / Muchos no creyeron (creían) que las mujeres fueran iguales a los hombres.

2. a. 1 b. 3 c. 1 d. 3.

CAPÍTULO 10

305. THE PLUPERFECT SUBJUNCTIVE
1. a. Se avergonzó de que Ana le hubiera dicho esas palabras. b. Nos dolió que sus abuelos hubieran muerto. c. No creían que tú hubieras escrito ese informe. d. Nos satisfizo que vosostros hubierais hecho justicia.
2. a. hubiéramos aplicado b. hubieran tenido c. hubiera sido d. hubiera denunciado
3. a. hubiera salido b. hubiera tenido c. hubiera renunciado d. hubiera llovido.
4. hubiera tenido, hubiera muerto, hubiera podido, hubiera crecido, hubiera dado, hubiera sucedido, hubieran admirado.

308. USES IN SENTENCES OF ONE CLAUSE
308. USE 1
1. libre.
2. a. Hubiera aprendido la lección, pero nunca preguntó. b. Hubieras visto el fin de la película, pero te dormiste. c. Hubieran conocido Egipto, pero cambiaron su rumbo. d. Hubiéramos conseguido la acogida del pueblo, pero no hicimos campaña.

309. USE 2
1. a. Hubiera hablado como hubiera hablado, lo habría hecho bien. b. Hubieran estado con quien hubieran estado, las seguirían recordando. c. Hubieras vivido donde hubieras vivido, te habría ido a buscar d. Hubierais visto lo que hubierais visto, nunca le habríais dicho nada.
2. a. hubiera aprendido donde hubiera aprendido b. hubieras dicho lo que hubieras dicho c. hubieran puesto donde hubieran puesto d. hubiéramos venido como hubiéramos venido.
3. libre.

311. USO 3
1. a. ¡Ojalá hubiera podido unificarla! b. ¡Ojalá hubiera dejado de serlo! c. ¡Ojalá no los hubieran destruido! d. ¡Ojalá hubiera podido quedarse!
2. a. ¡Ojalá los médicos no hubieran practicado la clonación! b. ¡Ojalá la eutanasia no se hubiera aceptado! c. ¡Ojalá la gente hubiera sido más consecuente! d. ¡Ojalá las guerras no se hubieran producido!

312. USO 4
1. a. ¡Qué me hubiera dirigido una! b. ¡Qué alguien lo hubiera sabido! c. ¡Qué hubieras querido tomarla! d. ¡Qué alguna persona la hubiera dado!
2. a. ¡Qué hubieras venido hace unos minutos! b. ¡Qué te hubiera encontrado en aquel momento! c. ¡Qué no hubiera habido desventajas! d. ¡Cómo nos hubiera gustado veros cara a cara!

313. NOLMINAL CLAUSES
1. a. Dudaba que hubiera vuelto en esas condiciones. b. Vosotros no estabais seguros que el caballo hubiera muerto. c. No pensabas que la búsqueda hubiera sido un éxito. d. No creíamos que hubieran abierto la caja de seguridad.
2. libre.
3. a. Se oponían a que el productor hubiera cambiado el argumento. b. No aceptaron que le hubieran puesto azúcar al café. c. Me aconsejaban que hubiera usado preservativos. d. Esperábamos que hubiera cambiado el menú diario.
4. a. No, no sentí que mi amigo hubiera estado en la nubes. b. No, no vimos que hubiera habido una avalancha. c. No, no oímos que hubiéramos ganado el premio mayor. d. No, no noté que el guardaespaldas hubiera salvado la vida de la princesa.
5. libre.

316. IMPERSONAL CLAUSES
1. a. hubiera entregado b. hubiera usado c. hubiera abolido d. hubieran brindado.

2. libre.
3. a. hubieran limpiado b. hubiera aceptado c. hubieras atendido d. hubieras tratado.

318. INDEFINITE CLAUSES

1. libre.
2. a. Antes necesitábamos un agente vendedor que hubiera conocido el mercado. b. Mi amiga esperaba algún hombre que hubiera sido honesto en todo. c. Los joyeros desearon alguien que hubiera trabaja do a tiempo completo. d. El carpintero no quiso a nadie que le hubiera ayudado en su trabajo.

319. ADVERBIAL CLAUSES

1. a. Dondequiera que hubiera nacido b. Quienquiera que hubiera llegado al pueblo c. Cuandoquiera que hubiera escrito el libro d. Lo que quiera que hubieras hecho.
2. a. quienquiera b. comoquiera c. dondequiera d. lo que quiera.
3. libre.

321. CLAUSES WITH "COMO SI"

1. a. hubiera vivenciado la historia b. hubieras ensayado a menudo c. te hubieras ido definitivamente d. no hubieran tenido compasión.
2. a. Hablaba de él como si se hubiera muerto. b. Había empacado toda su ropa como si hubiera tenido que mudarse. c. Se sintió tan ofendido como si hubiera sido nuestro padre. d. La policía las controló nuestras maletas como si hubiéramos traficado con drogas.

323. CONJUNCTIONS WITH PLUPERFECT SUBJUNCTIVE

1. libre.
1. a. Había puesto un adherezo a fin de que la comida hubiera estado deliciosa. b. Nos conformamos con que ellas, se hubieran sentido satisfechas. c. No compraríamos aquellos cuadros aun cuando Dalí los hubiera pintado. d. No se habrían emborrachado aunque hubieran ingerido alcohol.
2. a. 2 b. 1 c. 2.

325. THE CONJUNCTION "SI"

1. a. hubieras sido b. hubiera tratado c. hubiera nacido d. se hubieran quedado.
2. libre.
3. a. Si hubiéramos tenido más control, habríamos mejorado el ambiente. b. Yo habría viajado por Asia si mis recursos me lo hubieran permitido. c. Si hubiéramos conseguido una visa de residente para Israel, lo habríamos visitado.

327. THE SEQUENCE OF TENSES WITH THE PLUPERFECT SUBJUNCTIVE

1. a. Le hubiera subido la adrenalina, pero la emoción no fue fuerte. b. Había sido necesario que hubiera sido un padre abnegado. c. No tuve tanta hambre, aunque hubiera podido comer todo. d. El árbitro no notó que hubiera faltado un jugador en el equipo.
2. a. 3 b. 4 c. 1 d. 2.
3. a. Nos sugirieron que no hubiéramos revelado el secreto. b. Os encantaría que hubiéramos admirado vuestras obras. c. No sentía que su ausencia le hubiera dolido tanto. d. Te había extrañado que hubiera hablado así.
4. libre.

....